French
FOR LEISURE AND TOURISM
s t u d i e s

LEISURE & TOURISM

MARIE-FRANCE NOËL, CECILIA NICHOLAS
and VICKY DAVIES

Hodder & Stoughton

A MEMBER OF THE HODDER HEADLINE GROUP

ACKNOWLEDGEMENTS

We would like to express our thanks to the staff of the following establishments who have given us invaluable advice, and allowed us to visit their premises or shadow their personnel: Chatham Historic Dockyards (especially Jane Middleton); Leeds Castle (especially Diana Devlin), and the Whitbread Hop Farm.

We would also like to mention Anna and Paul without whose support this book would never have been finished.

The authors and publishers would also like to thank the following for permission to reproduce material in this volume: Le Parc d'Attractions Zoo de Bagatelle; Thorpe Park; Leeds Castle Enterprises Ltd; Chatham Historic Dockyard Trust; the Ringlestone Inn; the Patrick Collection; Country Club Hotels (especially the Tudor Park Hotel, Maidstone); Hever Castle Ltd; Hoverspeed; Larkfield Leisure Centre; the Swallows Leisure Centre, Sittingbourne; the Toastmaster's Inn, Burham; Whitbread Hop Farm; the Royal Shakespeare Company; the Grand Western Horseboat Company; le Service Loisirs Accueil Dordogne Perigord; Crédit Lyonnais; Cars Sergent; La Coquillette Restaurant, Boulogne; Dumont Voyages; Sidmouth Swimming Pool; and finally the SNCF. Please note that the prices and times given in this book are mainly from 1992 and are subject to change.

Every effort has been made to trace and acknowledge ownership of copyright. The publishers will be glad to make suitable arrangments with any copyright holders whom it has not been possible to contact.

British Library Cataloguing in Publication Data
Noël, Marie-france
    French for Leisure and Tourism Studies
    I. Title
    448

ISBN 0 340 58739 3

First published 1993
Impression number 11   10   9   8   7   6   5   4   3   2
Year   1999   1998   1997   1996   1995

Typeset by Wearset, Bolden, Tyne and Wear.
Printed in Great Britain for Hodder & Stoughton Educational, a division of Hodder Headline Plc, 338 Euston Road, London NW1 3BH by The Bath Press, Avon.

CONTENTS

INTRODUCTION

The course is aimed at professionals or students in the tourism and leisure industries (accommodation, catering, sports and leisure, heritage centres etc.), who are beginners, or very near beginners in French. The aim is to avoid communication deadlocks and upgrade the overall standard of customer care in these industries by providing employees with the language competence necessary for successful communication with customers who do not speak English. It will also prove useful to those wishing to familiarise themselves with the specific vocabulary of the leisure and tourism industries.

The course is designed for tutorial use, with trainees completing the 12 Units over 60 to 70 hours. It can also be used for self-study. The course is essentially communicative, and is based on typical situations in which trainees would be expected to provide assistance to customers in the foreign language. Two main functions have been identified at this level: responding to the customer's request for assistance and responding to everyday problems. The basic language skills required are those of understanding the French speaker and of communicating with him or her using key phrases. We have recognised the fundamental dichotomy between passive and active knowledge, that is, the language which trainees need for comprehension purposes, and that required for oral communication. Whilst both are essential, we feel it is necessary to treat each separately at this level of linguistic competence.

In writing the material, we have also taken into account the Language Lead Body draft Modern Languages standards. The material is therefore especially relevant to students in Further Education following courses such as BTEC Certificates and Diplomas, or other NVQ courses.

COURSE CONTENT

This book is unique in that it concerns the provision of service from the point of view of British leisure and tourism professionals. The extensive research carried out has led us to the creation of a variety of situations, each reflecting a specific need. Those needs were identified as reception, information, food services and sales.

The course is structured as a series of 12 Units, each of which is centred around one particular leisure or tourist attraction, and focuses on typical situations that a member of staff working there may have to deal with, such as welcoming, advising, helping or serving French-speaking customers.

Within each Unit, particular emphasis is placed upon listening and speaking. Although the trainee is exposed to some written material, this is mostly for reading comprehension purposes and he or she is not expected to produce items of written work of any great length.

We have also identified a need for cultural input. There are a number of misunderstandings and potentially embarrassing situations arising from ignorance of each others' customs. In each Unit we try to point out relevant differences as they occur in the situations concerned.

The realia included is authentic material gathered both from English and French-speaking countries. This is used to illustrate how the target language is used in the situations highlighted. The situations themselves are all based in Britain.

The Assignments provided at the back of the book are designed to verify trainee progress and to assess their on-going competence. These can easily be incorporated into a syllabus-imposed assignment scheme.

USER'S GUIDE

As this is a course intended for beginners, the range of language used (vocabulary and structures) increases in each Unit. It is therefore preferable to use the book in chronological order. Although each Unit is based on a different type of leisure or tourism centre, most of the language functions used are common to all sections.

UNIT FORMAT

Each Unit comprises three situations which follow the same format, as outlined below.

Vocabulaire

A presentation of essential words and phrases to aid comprehension of the situation identified. This can later be used as a learning and pronunciation tool since the vocabulary is recorded on tape.

Conversation

A sample conversation to illustrate the given situation. This can be used for listening comprehension, reading and pronunciation practice.

Explications

A brief outline of the major grammatical points and idiomatic phrases which are new to the trainees. These sections are sometimes illustrated for ease of assimilation, but are not designed as a formal or extensive study of grammar.

Info

Relevant cultural differences or idosyncrasies are highlighted to help trainees understand some difficulties which their customers may experience.

Compréhension

A series of exercises based on the grammatical and/or semantic content of the

3

situation under review. These often use authentic realia, so as to acquaint the trainee with the in-situ jargon of the industry. It is not expected that the trainee necessarily understands the material fully, but rather that he/she recognises and learns the appropriate language for a given situation.

Exercices

These are practical and/or oral activities designed to give the trainee the opportunity to apply the knowledge acquired from each situation in realistic exercises.

Assignments

There are four Assignments which are designed to assess trainee competence at regular intervals throughout the course. They should be carried out at three-unit intervals.

Key

Comprises the answers to the **Compréhension** and **Exercices** sections.

Tapescript

All oral activities, i.e. listening or speaking, including the **Vocabulaire**, **Conversations** and **Exercices** are recorded, and a complete tapescript is included.

AU BED & BREAKFAST

SITUATION A: *M. Martin réserve une chambre au 'Dover Castle' Bed & Breakfast*

VOCABULAIRE

bonjour	*good morning*
je voudrais réserver une chambre	*I would like to reserve a room*
s'il vous plaît/merci	*please/thank you*
pour une/deux personne(s)	*for one person/two people*
c'est combien?	*how much is it?*
dix livres par personne	*£10 per person*
parfait	*fine*
c'est à quel nom?	*what name is it?*
au revoir	*goodbye*

M. MARTIN: Allô, le Bed & Breakfast 'Dover Castle'?

EMPLOYÉE: Oui, Monsieur.

M. MARTIN: Bonjour, Madame. Je voudrais réserver une chambre, s'il vous plaît?

EMPLOYÉE: Oui, Monsieur. Pour une personne?

M. MARTIN: Non, pour deux personnes.

EMPLOYÉE: Oui, Monsieur.

M. MARTIN: C'est combien?

EMPLOYÉE: Dix livres par personne.

M. MARTIN: Parfait.

EMPLOYÉE: C'est à quel nom?

M. MARTIN: Martin.

EMPLOYÉE: Merci, Monsieur.

M. MARTIN: Merci et au revoir, Madame.

EMPLOYÉE: Au revoir, Monsieur.

EXPLICATIONS

Greetings

Remember that allô *is only used for the phone.*

allô

bonjour

Also . . .

bonjour!	bonsoir!	bonne nuit!
good morning/afternoon	*good evening*	*good night*

Numbers

You may already know some numbers in French. Listen to the tape and read the words as you go. Remember that un *and* une *can mean 'one', 'a' or 'an'.*

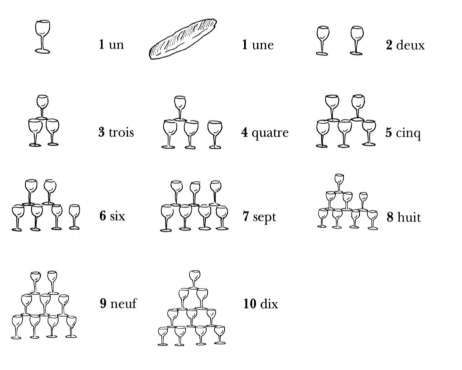

1 un   **1** une   **2** deux

3 trois   **4** quatre   **5** cinq

6 six   **7** sept   **8** huit

9 neuf   **10** dix

INFO!

- In France it is polite to add *Monsieur* (Sir), *Madame* (Madam) or *Mademoiselle* (Miss) after a greeting. *Madame* is used for married ladies and *Mademoiselle* for unmarried ones.

- If you are in doubt use *Madame* to all but very young women.

- There is no equivalent to 'Ms'.

COMPREHENSION

Look at the advertisements from French magazines and see how much you can already understand.

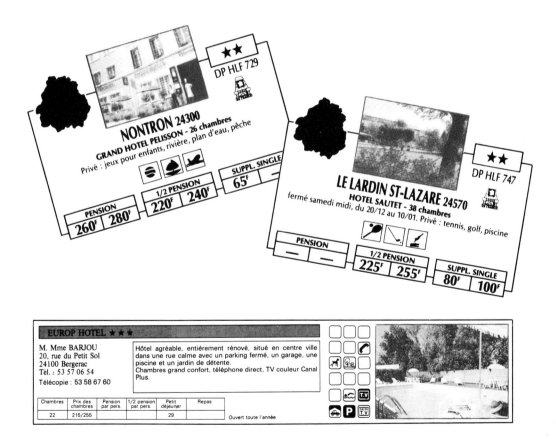

EXERCICES

1 Look at the illustrations below and match them up with the correct words/phrases

i)

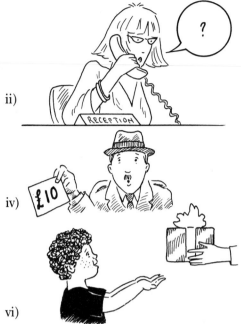

ii)

iii)

iv)

v)

vi)

a) c'est à quel nom?

b) pour deux personnes

c) au revoir

d) c'est combien?

e) dix livres par personne

f) merci!

2 Listen to the tape and imitate what you hear. What do the words mean?

3 Jeu de rôle: you are the receptionist at the Hotel Bella Vista. Deal with the following phone call from a French lady.

– Bonjour, Madame.

– *(Greet the customer.)*

– Je voudrais une chambre.

– *(Say yes. Ask if it is for one person.)*

– Non. Une chambre pour deux personnes.

– *(Say yes.)*

– C'est combien?

– *(Say £9 per person.)*

– Parfait.

– *(Ask for the name.)*

– Marchat.

– *(Say thank you, Madam.)*

– Merci et au revoir.

Now listen to the tape again and practise your pronunciation.

SITUATION B: *M. et Mme Martin arrivent au 'Dover Castle' Bed & Breakfast*

VOCABULAIRE	
j'ai/vous avez	*I have/you have*
au nom de	*in the name of*
c'est ça	*that's right*
une nuit	*one night*
seulement	*only*
d'accord	*all right/OK*
à deux lits	*twin-bedded*
le petit déjeuner	*breakfast*
est	*is*
de rien	*you're welcome*
la salle de bains	*bathroom*

M. MARTIN: Bonjour, Madame.

EMPLOYÉE: Bonjour, Monsieur.

M. MARTIN: J'ai une réservation au nom de Martin. M A R T I N.

EMPLOYÉE: Ah oui, Monsieur. C'est pour deux personnes?

M. MARTIN: C'est ça.

EMPLOYÉE: Pour une nuit seulement?

M. MARTIN: Non, pour trois nuits.

EMPLOYÉE: Parfait. Vous avez la chambre numéro cinq.

M. MARTIN: D'accord.

EMPLOYÉE: C'est une chambre à deux lits.

M. MARTIN: Parfait.

EMPLOYÉE: . . . avec salle de bains.

M. MARTIN: Très bien. Merci, Madame.

EMPLOYÉE: De rien, Monsieur.

EXPLICATIONS

 ## The alphabet

Listen to the tape and follow the letters carefully. Play it over several times until you recognise all the letters, then do Exercices 1 and 2 overleaf.

If you have a double letter in a word, put deux *in front. Listen carefully to the tape for the double letters, as in front of some letters it sounds like 'derz'.*

A	B	C	D	E	F	G	H	I	J
K	L	M	N	O	P	Q	R	S	T
U	V	W	X	Y	Z				

Saying 'I', 'you', etc.

The French version of 'I' 'you', 'he', 'she', etc. is as follows:

je	*I*		nous	*we*
tu	*you*		vous	*you*
il	*he*		ils	*they*
elle	*she*		elles	*they*

Je *becomes* j' *in front of a vowel.*

Avoir *(to have)*

In the dialogue you have seen j'ai *and* vous avez. *The rest of the verb goes like this:*

j'ai	*I have*		nous avons	*we have*
tu as	*you have*		vous avez	*you have*
il a	*he has*		ils ont	*they have*
elle a	*she has*		elles ont	*they have*

They are used just the same way as in English, for example:

j'ai une chambre	*I have a room*
vous avez une chambre	*you have a room*
j'ai une réservation	*I have a reservation*
vous avez une réservation	*you have a reservation*

INFO!

- You may have noticed that French visitors to England do not use 'please' and 'thank you' very much. This is not because they are impolite, but because they do not always use them in the same way as in English.

- You may have noticed *d'accord* meaning 'all right/OK'.

COMPREHENSION

Why is the French policeman so confused?!!

EXERCICES

:-: 1 Listen to the tape and write down the letters you hear:

a) __ b) __ c) __ d) __ e) __ f) __ g) __ h) __

:-: 2 Now spell the words you hear: a) __ b) __ c) __ d) __ e) __ f) __

:-: 3 Listen to the tape and circle the numbers as you hear them.

6	2	10	3	9	4	2	9
8	1	3	5	2	9	1	3

:-: 4 Listen to the dialogue again, without the text. Tick the correct answers below:

a) Mr. Martin wants a room for 4 nights

b) He has room number 5

c) The room has twin beds

d) The room does not have a bathroom

e) Mr. Martin finds the room suitable

:-: 5 Jeu de rôle: you are the receptionist at a B&B. Help the guest with his enquiries.

– Bonjour, Madame.   – (Say good morning, Sir.)

– J'ai une réservation.   – (Ask for the name.)

– Lemaire L E M A I R E.   – (Ask if it is for one night only.)

– Non, pour deux nuits.   – (Say fine, Sir. You have room number 7.)

– C'est une chambre avec salle de bains?   – (Say yes.)

– Parfait. Merci beaucoup.

Now listen to the tape again and practise your pronunciation.

SITUATION C: *la famille française pose des questions sur le Bed & Breakfast*

VOCABULAIRE

où est/sont?	*where is/are?*
les toilettes	*the toilets*
la porte	*the door*
à droite	*on the right/right*
à gauche	*on the left/left*
derrière	*behind*
la salle à manger	*the dining room*
là-bas	*over there*
le salon	*the sitting room*
devant	*in front*
merci beaucoup	*thank you very much*
de rien	*you're welcome*

M. MARTIN: Pardon, Madame. Où est la chambre numéro cinq?

EMPLOYÉE: La chambre numéro cinq, c'est la porte à droite.

M. MARTIN: Et la salle de bains?

EMPLOYÉE: La salle de bains, c'est la porte à gauche.

M. MARTIN: Merci, Madame. Et les toilettes?

EMPLOYÉE: Derrière vous, Monsieur. Pour le petit déjeuner, vous avez la salle à manger.

M. MARTIN: Où est la salle à manger?

EMPLOYÉE: Là-bas, Monsieur.

M. MARTIN: Merci beaucoup. Il y a un salon?

EMPLOYÉE: Oui, devant vous.

M. MARTIN: Merci, Madame.

EXPLICATIONS

Le, la and les

French seems to be full of little words! In French everything is either a 'him' or 'her' (masculine or feminine). Every time you learn a new word, learn whether it is masculine or feminine at the same time. That way you won't forget!

Look at the illustrations below:

le monsieur   la dame   les enfants

Sometimes you will see l'. *This goes in front of words starting with a vowel or letter 'h' to make them sound better. Try saying* le appartement *or* le hôtel *quickly. You'll find you can't help saying* l'appartement *and* l'hôtel!

Un, une and des

When you want to say a/an/one or some, you need to use these words. Look at the illustrations.

un monsieur   une dame   des enfants

 ## Être *(to be)*

je suis	*I am*	nous sommes	*we are*
tu es	*you are*	vous êtes	*you are*
il est	*he is*	ils sont	*they are*
elle est	*she is*	elles sont	*they are*

Sometimes you will also hear c'est *for 'it is'.*

Où est? *(where is?)*

COMPREHENSION

1 *Look at the illustrations below and match them up with the correct words/phrases.*

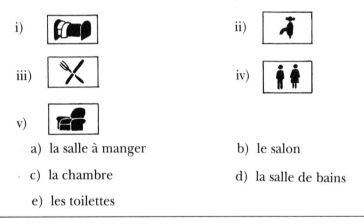

i)   ii)

iii)   iv)

v)

    a) la salle à manger   b) le salon

    c) la chambre   d) la salle de bains

    e) les toilettes

2 *Look at the arrows and match them with the phrases.*

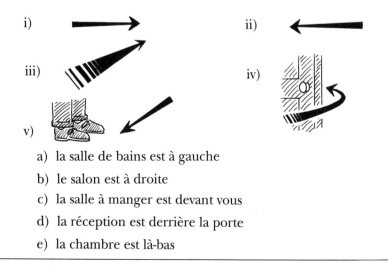

i)   ii)

iii)   iv)

v)

    a) la salle de bains est à gauche

    b) le salon est à droite

    c) la salle à manger est devant vous

    d) la réception est derrière la porte

    e) la chambre est là-bas

EXERCICES

1 Listen to the tape. Write true or false.

a) the bathroom is on the right ....

b) the sitting room is in front of M. Martin ....

c) the toilets are on the right ....

d) the bedroom is behind M. Martin ....

2 Ask in French where the following rooms are, then compare your answers with the tape.

a) where is the dining room?

b) where is the sitting room?

c) where are the toilets?

d) where is the bedroom?

e) where is the bathroom?

3 Jeu de rôle: you are the receptionist at a guest house. Help the customer.

– Bonjour, Monsieur.

– *(Say good morning, Madam.)*

– Où est la chambre numéro 3, s'il vous plaît?

– *(Say room number 3 is on the left.)*

– Merci.

– Où sont les toilettes?

– *(Say it's the door on the right.)*

– Et la salle de bains?

– *(Say it's behind you.)*

– Merci beaucoup, Monsieur.

– *(Say you're welcome, Madam.)*

Now listen to the tape again and practise your pronunciation.

Unité Deux

A L'OFFICE DE TOURISME

SITUATION A: *une touriste française va à l'office de tourisme*

TOURISTE: Bonjour, Monsieur.

EMPLOYÉ: Bonjour, Madame. Je peux vous aider?

TOURISTE: Oui, Monsieur. Vous avez des brochures sur la région, s'il vous plaît.

EMPLOYÉ: Bien sûr, Madame. Là-bas.

TOURISTE: Parfait. Monsieur . . .

EMPLOYÉ: Oui, Madame.

TOURISTE: Il y a beaucoup de choses à voir ou à faire?

EMPLOYÉ: Oui, Madame. Vous pouvez visiter des châteaux, des musées, des expositions ou vous pouvez faire des promenades dans le parc.

TOURISTE: Vous avez un programme?

EMPLOYÉ: Oui, voici le programme de la semaine.

TOURISTE: Parfait. Merci beaucoup, Monsieur.

EMPLOYÉ: De rien, Madame.

EXPLICATIONS

Il y a

Use il y a *to mean 'there is/there are'.* Il y a *never changes.*

Asking questions

The easiest way to ask a question is to raise your voice at the end of a phrase or sentence. Listen to the dialogue again and pick out the questions, e.g.

Vous avez des brochures . . . ?	*Do you have any brochures . . . ?*
Vous avez un programme?	*Do you have a programme?*
Vous êtes Monsieur Legrand?	*Are you Mr Legrand?*

Pouvoir

Je peux (*I can/can I?*)/Vous pouvez (*you can/can you?*)
Je peux réserver une chambre?
(*Can I (is it possible to) reserve a room?*)
Je peux entrer?
(*Can I (am I allowed to) come in?*)

Quantities

Il y a **des** châteaux, **des** musées, **des** expositions. Des *means some or any with plural words. If you want to ask 'how much/many', or say 'how much/many',* des *changes to* de.

Vous avez **des** chambres?	Oui, j'ai **des** chambres.
*Do you have **any** rooms?*	*Yes, I have **some** rooms.*

but . . .

Il y a **des** châteaux?	Oui, il y a **beaucoup de** châteaux.
*Are there **any** castles?*	*Yes, there are **lots of** castles.*

and . . .

If de *comes in front of a vowel, drop the 'e':* Il y a beaucoup **d'**expositions.

COMPREHENSION

Read the excerpts from French tourist brochures below and answer the following questions.

1 Where could you visit a tobacco museum?

_____

2 Where would you go if you liked cave paintings and prehistoric art?

_____

3 Where could you find fortresses, medieval buildings and a Renaissance castle?

a)

3ème JOUR : VALLEES DE LA VEZERE ET DE LA DORDOGNE

Départ de l'hôtel.
Visite du fac-similé de la grotte de Lascaux, Lascaux II et du Centre d'Art Préhistorique du Thot à Thonac**.
Déjeuner à Sergeac ou dans les environs. Visite de Sarlat, ville d'Art et d'Histoire. Cingle de Montfort. Promenade dans la Bastide de Domme (magnifique panorama sur la Vallée de la Dordogne).
Village de la Roque-Gageac. Châteaux de Beynac, Castelnaud, les Milandes, St-Cyprien.
Installation dans un hôtel ★★ (Logis de France) en Bergeracois.
Dîner et hébergement.

b)

Musée des Poupées - Nontron

1er JOUR : LE PERIGORD VERT

Visite du Musée des Poupées* à Nontron. St-Jean-de-Côle, pittoresque village.
Visite du château de Puyguilhem* à Villars, un des plus remarquables châteaux de la première Renaissance.
Déjeuner à Brantôme ou dans les environs. Promenade dans Brantôme, la "Venise du Périgord" : son ensemble d'édifices médiévaux et Renaissance, le charme de ses jardins au bord de la Dronne.
Visite du château de Bourdeilles (forteresse des XIIIe et XVe siècles et Palais Renaissance dominant la Vallée de la Dronne).
Visite de l'Ecomusée de la Truffe à Sorges,
Installation dans un hôtel ★★ (Logis de France)
Dîner et hébergement.

c)

4ème JOUR : LE BERGERACOIS "PAYS DE VIGNOBLES ET DE BASTIDES"

Départ de l'hôtel.
Confluent de la Dordogne et de la Vézère, à Limeuil.
Trémolat : Cingle de la Dordogne.
Visite du cloître de Cadouin* (murs du XIIe siècle, galeries des XVe et XVIe siècles).

Cloître de Cadouin

Visite de la Bastide de Monpazier. Déjeuner à Monpazier ou dans les environs. Visite du Château de Biron*. Bergerac : musée du Tabac**

N.B. : * ces sites sont fermés le mardi - ** ces sites sont fermés le lundi

EXERCICES

1 Listen to the requests and then answer with *oui, il y a beaucoup de . . .*

2 Look at the illustrations below and match up the requests

i) ii) iii)

a) Je peux fumer? b) Je peux payer? c) Je peux téléphoner?

3 Listen to the questions on the tape and match them up to the ones below.

a) Do you have any brochures?   b) Are there any castles?

c) Can you reserve the room, please?   d) Is there an exhibition?

4 Jeu de rôle: you are a tourist officer. Help the visitor with his enquiries.

– Bonjour, Monsieur.

– *(Say good morning, Sir.)*

– Vous avez des brochures sur la région?

– *(Say, there are lots of brochures over there.)*

– Très bien. Il y a des expositions à voir?

– *(Say yes. There are four exhibitions. Here is a programme for the week.)*

– Merci. Et il y a un centre de sports?

– *(Say yes. There is a sports centre in front of the museum.)*

– Parfait. Merci, Monsieur.

– *(Say you're welcome and goodbye.)*

Now listen to the tape again and practise your pronunciation.

SITUATION B: *une famille française achète un guide touristique*

VOCABULAIRE

un plan de la ville	*a plan of the town*
gratuit	*free*
aussi	*as well/too*
coûte	*costs*
le parc d'attractions	*theme parks*
le centre de loisirs	*leisure centre*
le centre de sports	*sports centre*
je prends	*I'll take*
cela fait	*that comes to*
voilà votre monnaie	*here's your change*
bonne journée!	*have a nice day!*

TOURISTE: Monsieur, s'il vous plaît. Vous avez un plan de la ville ou un guide?

EMPLOYÉ: Bien sûr, Madame. Voilà le plan de la ville. Il est gratuit.

TOURISTE: Merci. Et vous avez un guide aussi?

EMPLOYÉ: Il y a deux guides. Le guide Robert coûte cinq livres et le guide Johnson coûte sept livres vingt.

TOURISTE: Les deux sont en français?

EMPLOYÉ: Oui, Madame.

TOURISTE: Il y a un guide des restaurants?

EMPLOYÉ: Oui, Madame. Les restaurants, parcs d'attractions, centres de sports et centres de loisirs.

TOURISTE: C'est parfait. Je prends les deux.

EMPLOYÉ: Cela fait douze livres vingt.

TOURISTE: Voilà douze livres cinquante.

EMPLOYÉ: Et voilà votre monnaie. Au revoir, Madame, et bonne journée.

EXPLICATIONS

Prendre *(to take)*

Je prends means I take/am taking, but is often used to mean I'll take/I'll have, especially when talking about food.

Je prends un Coca Cola   I'll have a Coca Cola

Je prends le guide Roberts   I'll take the Roberts guide

Je prends le petit-déjeuner

 More numbers

Before learning any new numbers, make sure you know numbers 1–10.
Listen to the cassette and repeat the numbers as you hear them:

11 onze   **12** douze

13 treize   **14** quartorze

15 quinze   **16** seize

17 dix-sept   **18** dix-huit

19 dix-neuf   **20** vingt

Now try saying them backwards!

Money

The French word monnaie *can be very confusing, as it means change and not money! Here are some common words you may hear:*

de l'argent	*money/silver*
du liquide	*cash*
des billets	*bank notes*
de la monnaie	*change*
des pièces	*coins*

INFO!

- You may find French handwriting rather difficult to read. If a French customer pays by Eurocheque or needs to write an amount in figures, remember that he/she will probably cross the figure 7, as follows: **7** and add a tail to the figure 1, as follows: **1** People often confuse a French 1 with an English 7!

COMPREHENSION

Read the following advertisements and use your dictionary to find what leisure activities are on offer.

EXERCICES

1 Listen to the dialogue again and say whether the following statements are true or false.

    a) The first thing Gérard asks for is a guide book.

    b) The receptionist suggests three different books.

    c) The plan of the town is free.

2 Listen to these phrases from the dialogue and fill in the missing word.

    a) Voilà . . . . . (le/la/les) plan de la ville.

    b) Il y a . . . (une/un) guide . . . . (du/des) restaurants?

    c) Voilà . . . . (votre/notre) monnaie.

3 Jeu de rôle: now play the part of the receptionist in the following dialogue.

    – Bonjour. Vous avez un plan de la ville?

    – *(Say yes, Sir. It is free.)*

    – Et vous avez un guide, aussi?

    – *(Say of course. There are two guides.)*

    – C'est combien?

    – *(Say the Smith guide is free. The Williams guide costs £2.00.)*

    – Je prends le guide Williams. Voilà £5.00.

    – *(Say thank you. Here's your change.)*

    – Merci et au revoir.

    – *(Say goodbye and have a nice day!)*

4 Now listen to the tape. Fill in the missing numbers:

    a) Vous avez . . . plan de la ville?

    b) Il y a . . . guides.

    c) Voilà . . . livres.

    d) Il y a . . . restaurants.

    e) Voilà votre monnaie, £ . . . .

SITUATION C: *une étudiante pose des questions*

VOCABULAIRE

pour aller à . . .	*how do you get to . . . ?*
c'est (assez) loin	*it's (quite) far*
cela vaut la visite?	*is it worth the visit?*
du Moyen-Age	*from the Middle Ages*
une douve	*moat*
à pied/en voiture	*on foot/by car*
prenez la route pour	*take the road to*
passez devant l'église	*pass in front of the church*
continuez tout droit	*carry straight on*
la première à gauche	*the first on the left*
après, c'est indiqué	*afterwards, it's signposted*

ETUDIANTE: Bonjour, Monsieur.

EMPLOYÉ: Bonjour, Mademoiselle.

ETUDIANTE: Je voudrais visiter le château de Moorwater. C'est dans le Kent?

EMPLOYÉ: Non, Mademoiselle. C'est dans le Sussex.

ETUDIANTE: Et pour aller à Moorwater? C'est loin?

EMPLOYÉ: Oui, c'est assez loin.

ETUDIANTE: Mais cela vaut la visite?

EMPLOYÉ: Bien sûr. Il date du Moyen-Age. Il y a une présentation audio-visuelle pour les visiteurs et il y a aussi une douve, un restaurant et une boutique.

ETUDIANTE: Et pour aller au château?

EMPLOYÉ: Vous êtes à pied ou en voiture?

ETUDIANTE: En voiture.

EMPLOYÉ: Très bien. Alors prenez la route pour Hawkhurst, passez devant l'église et tournez à droite. Continuez tout droit. Prenez la première à gauche. Après, c'est indiqué.

ETUDIANTE: Merci beaucoup.

EMPLOYÉ: De rien, Mademoiselle. Bonne journée!

EXPLICATIONS

Telling people to do things

To make a command, take the vous *part of the verb and take off the* vous, *as follows.*

Vous entrez . . .   entrez! (*go in*)

Vous descendez . . .   descendez! (*go down*)

Vous tournez . . .   tournez! (*turn*)

The first, second, third (turning)

When telling someone which turning to take, use:

la première (*the first*)

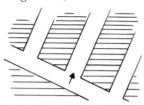
la deuxième (*the second*)

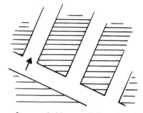
la troisième (*the third*)

Positioning words

These are words like sur, à, de, *etc. The following ones are very important.*

sur   *on*

pour   *for*

après   *after*

dans   *in*

le château est sur la colline

À (to/at)

You may have noticed that the word à (*to/at*) *changes. The rule for this is as follows:*

à+le   →   **au** château (*to/at the castle*)

à+la   →   **à la** gare (*to/at the station*)

à+l'   →   **à l'**hôtel (*to/at the hotel*)

à+les   →   **aux** musées (*to/at the museums*)

What is the tourist being ordered to do?!

INFO!

- If you are giving directions to a French pedestrian, particularly children, remember that their 'Green Cross Code' will be different from ours, as the 'look right/left/right' will become 'look left/right/left'.

- You may find French motorists will appreciate a little reminder to drive on the left (*tenez votre gauche*).

COMPREHENSION

Listen to the directions given you and try to follow the map below. Start your journey at point X. Where do you arrive?

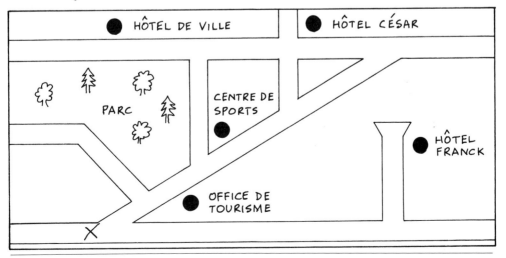

EXERCICES

1 Listen to the description of *Le Moulin* (the mill) on the cassette and say if the sentences are true or false.

    a) Le Moulin dates back to the Middle Ages.

    b) Le Moulin is near Canterbury.

    c) There is a moat.

    d) It is far from the station.

2 Read the following instructions and then say them in French. Then check with the cassette.

    a) Turn right.   d) Go to the restaurant.

    b) Take the A10.   e) Carry straight on.

    c) Go to the station.   f) Turn left.

3 Fill in the blanks with *à*, *au*, *à l'* or *aux*, as appropriate.

    a) ... restaurant   b) ... gare

    c) ... toilettes   d) ... hôtel

4 Jeu de rôle: help this French tourist, who is lost.

    – Bonjour, Madame.

    – *(Say hello, Sir.)*

    – Pour aller à Londres, s'il vous plaît?

    – *(Say it is quite far away. Ask if he is travelling by car.)*

    – Oui.

    – *(Tell him to take the A2.)*

    – C'est à gauche?

    – *(Say no. Tell him to turn right.)*

    – Merci beaucoup, Madame.

    – *(Say you're welcome and goodbye.)*

Now listen to the tape again and practise your pronunciation.

Unité Trois

AU PUB

SITUATION A: *au pub, avec sa famille, M. Leclos commande des boissons*

VOCABULAIRE

vous désirez?	*what can I serve you?*
commander	*to order*
un verre de limonade	*a glass of lemonade*
un jus d'orange	*an orange juice*
comme ça	*like that*
j'ai très soif	*I'm very thirsty*
ça fait trois livres trente	*that comes to three pounds thirty*
ils doivent	*they must*
aller dans le jardin	*to go into the garden*
pourquoi?	*why?*
c'est la loi en Angleterre	*it's the law in England*
je suis désolé(e)	*I'm sorry*

SERVEUSE: Vous désirez Monsieur?

M. LECLOS: Bonjour Madame, je voudrais commander . . .

SERVEUSE: Oui, mais au bar Monsieur.

M. LECLOS: Ah bon, alors je voudrais deux verres de limonade, un jus d'orange et une bière s'il vous plaît.

SERVEUSE: Une pinte de bière?

M. LECLOS: Une pinte?

SERVEUSE: Un verre comme ça.

M. LECLOS: Oui, j'ai très soif.

SERVEUSE: Ça fait trois livres trente . . . les enfants doivent aller dans le jardin.

M. LECLOS: Mais pourquoi?

SERVEUSE: C'est la loi en Angleterre, monsieur, je suis désolée.

EXPLICATIONS

Devoir *(must)*

je dois	*I must*	nous devons	*we must*
tu dois	*you must**	vous devez	*you must**
il/elle doit	*he/she must*	ils/elles doivent	*they must*

* There are two words for you in French. Use tu *with people you know well and* vous *in all other situations.*

Devoir is followed by another verb, as in English, e.g. The children must go into the garden!

 ### Numbers over twenty

20 vingt **30** trente **40** quarante **50** cinquante **60** soixante

Prices

quatre livres cinquante   *four pounds fifty*

Quantities

After an expression of quantity (e.g. a pint) French uses de *or* d' *in place of the English 'of'.*

une pinte **de** bière	un verre **de** limonade	une bouteille **de** vin	un jus **d'**orange
a pint of beer	*a glass of lemonade*	*a bottle of wine*	*an orange juice*

INFO!

- French speakers may expect table service, may not know to pay when they order, and will have to be shown where the children can go.
- a pint equals slightly over half a litre
- *bière* means lager to a French speaker.
- Bars in France serve coffee and tea, as well as alcoholic and soft drinks.

COMPREHENSION

1 *Look at the two lists below, and make as many combinations as you can.*

e.g.   une pinte de bière

une pinte		bière	thé
un verre	**de**	café	tomate
une tasse	**d'**	limonade	eau minérale
une bouteille		orange	coca
un jus		vin	cidre

2 *Look at the price list given, and calculate the total price of each order in French.*

a) 2 bières, 1 jus d'orange

b) 2 limonades, 1 cognac, 1 vin rouge

c) 3 jus d'orange, 3 jus de tomate

d) 1 cidre, 1 bière

e) 2 vins blancs, 2 cidres, 2 cognacs

f) 2 vins rouges, 2 vins blancs

g) 2 bières, 1 cidres, 1 limonade

h) 1 jus d'orange

REAL ALES RESTAURANT FUNCTIONS

The Toastmaster Inn and Restaurant

65/67 Church Street, Burham
Near Rochester, Kent ME1 3SB
TELEPHONE: *0634 861 299*

- Bière £1.40 (pinte)
- Limonade 50p
- Cidre £1.20 (pinte)
- Jus de fruit 50p
- Vin rouge/blanc £1.10 (verre)
- Cognac £1.30

Now practise your pronunciation of the answers.

EXERCICES

1 Listen to the dialogue again and mark the following sentences true or false.

    a) M. Leclos is served at the bar.

    b) M. Leclos orders three glasses of lemonade.

    c) M. Leclos orders a pint of beer.

    d) M. Leclos is very thirsty.

    e) The children can stay in the bar area.

    f) The bill comes to £3.30.

2 Listen to the numbers on the tape and write them down.

3 Jeu de rôle: you are serving a French customer at the bar.

    – Je voudrais commander . . .

    – *(Tell the customer he must order at the bar.)*

    – Ah, je voudrais une bière et un coca.

    – *(Ask him if he wants a pint of beer.)*

    – Oui, j'ai très soif.

    – *(Tell him that it comes to £2.20.)*

    – Les enfants doivent aller dans le jardin?

    – *(Answer in the affirmative, it's the law in England.)*

Now listen to the model dialogue and practise the pronunciation with a partner.

4 Fill in the blanks with the correct word (*l', le, la, les*).

a) . . . . verre	b) . . . . enfants	c) . . . . monsieur
d) . . . . jardin	e) . . . . jus d'orange	f) . . . . bière
g) . . . . pinte	h) . . . . loi	i) . . . . eau minérale

SITUATION B: *M. et Mme Briet sont au pub et demandent le menu*

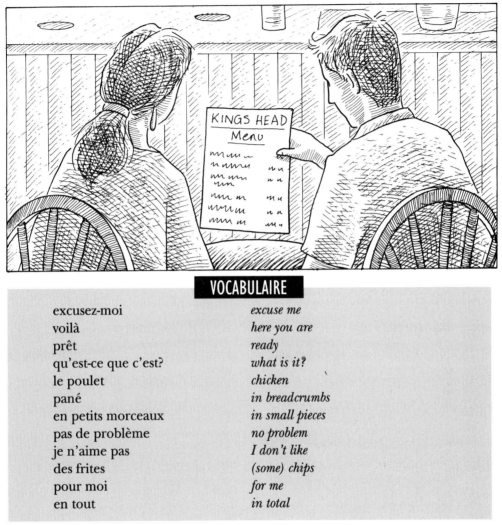

VOCABULAIRE

excusez-moi	*excuse me*
voilà	*here you are*
prêt	*ready*
qu'est-ce que c'est?	*what is it?*
le poulet	*chicken*
pané	*in breadcrumbs*
en petits morceaux	*in small pieces*
pas de problème	*no problem*
je n'aime pas	*I don't like*
des frites	*(some) chips*
pour moi	*for me*
en tout	*in total*

M. BRIET: Excusez-moi Madame, vous avez un menu s'il vous plaît?

SERVEUSE: Oui bien sûr, voilà, Monsieur.

    Dix minutes plus tard

SERVEUSE: Vous êtes prêts, Madame, Monsieur?

M. BRIET: Qu'est-ce que c'est, *chicken nuggets*?

SERVEUSE: C'est du poulet pané en petits morceaux.

MME BRIET: Je voudrais une omelette et une salade.

SERVEUSE: Oui Madame, pas de problème. Et pour Monsieur?

M. BRIET: Je n'aime pas la salade. Il y a des frites?

SERVEUSE: Bien sûr Monsieur.

M. BRIET: Alors, du poulet et des frites pour moi.

SERVEUSE: Très bien, ça fait six livres cinquante en tout.

Aimer *(to like)*

j'aime	*I like*	nous aimons	*we like*
tu aimes	*you like*	vous aimez	*you like*
il/elle aime	*he/she likes*	ils/elles aiment	*they like**

* The final ent *is never pronounced.*
Most verbs ending in er *behave like this.*

Negative sentences

To form negative sentences, put ne *and* pas *on either side of the verb.*

je suis prêt	je **ne** suis **pas** prêt
j'aime le poulet	je **n'**aime **pas** le poulet*

* Note that ne *becomes* n' *before vowels and y.*

De *(some)*

Note the changes in the form of this word.

de + la = de la	il y a **de la** salade
de + l' = de l'	il y a **de l'**eau minérale
de + le = du	il y a **du** poulet
de + les = des	il y a **des** frites

Note that all these forms revert to de *in negative sentences*

e.g.	il y a **du** poulet	il n'y a pas **de** poulet

Il n'y a pas de lapin!

INFO!

- Sandwiches in (France are always made with *baguettes* (French sticks); your customers may be surprised by the appearance of a round of sandwiches.

COMPREHENSION

1 *Look at the menu and match up the English phrases with the French ones.*

a) mixed salad

b) chips

c) chicken nuggets

d) green salad

e) assorted sandwiches

f) ham and cheese toasted sandwich

g) hamburger

h) cheese omelette

REAL ALES RESTAURANT FUNCTIONS

The Toastmaster Inn and Restaurant

65/67 Church Street, Burham
Near Rochester, Kent ME1 3SB
TELEPHONE: *0634 861 299*

- Poulet panné en petits morceaux
- Hamburger
- Croque-monsieur
- Omelette au fromage
- Salade mixte
- Salade verte
- Frites
- Sandwichs variés

Now listen to the tape and practise your pronunciation.

2 *Fill in the blanks with* du, de la, de l', des.

a) . . . . . salade

b) . . . . . eau minérale

c) . . . . . frites

d) . . . . . bière

e) . . . . . enfants

f) . . . . . sandwiches

g) . . . . . poulet

h) . . . . . bouteilles

i) . . . . . vin

j) . . . . . café

3 *Make the following sentences negative.*

a) J'aime le poulet

b) Il y a des bouteilles

c) Vous êtes prêts

d) M. Marchal a du cognac

e) Nous avons le menu

EXERCICES

1 Listen to the tape and fill out the grid with the words missing from the phrases you will hear. When you have solved the clues, another word will appear in the shaded area.

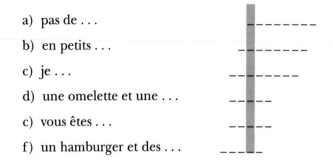

a) pas de . . .

b) en petits . . .

c) je . . .

d) une omelette et une . . .

c) vous êtes . . .

f) un hamburger et des . . .

2 Listen to the tape and decide whether the sentences you hear are affirmative (+) or negative (−). When you have finished, listen again and practise the pronunciation.

a)   b)   c)   d)

e)   f)   g)   h)

3 Jeu de rôle: take the customer's order.

    – Vous avez un menu s'il vous plaît?

    – *(Say that you have and hand it to the customer.)*

    – Qu'est-ce c'est le *Cheddar Ploughman's?*

    – *(Say it is cheese, French bread and salad.)*

    – Une omelette et une salade mixte pour Madame.

    – *(Say that that is no problem.)*

    – Et pour moi, un hamburger.

    – *(Ask if he wants some chips.)*

    – Non, je préfère une salade verte.

    – *(Say that that is fine, and it comes to £4.50 in total.)*

Now listen to the model dialogue and practise the pronunciation with a partner.

SITUATION C: *la serveuse apporte le repas à la famille Bertrand*

VOCABULAIRE	
le jeune homme	*the young man*
ni . . . ni	*neither . . . nor*
une fourchette	*fork*
un couteau	*knife*
sur la table	*on the table*
à côté du bar	*next to the bar*
le sel et le poivre	*the salt and pepper*
au fond	*at the back*
la porte	*the door*
entre	*between*
la machine à sous	*fruit machine*

SERVEUSE: Alors, le poulet et la salade mixte pour Monsieur et Madame.

M. BERTRAND: Merci.

SERVEUSE: Et un hamburger et des frites pour le jeune homme.

PIERRE: Merci. Madame, je n'ai pas de ketchup.

M. BERTRAND: Et moi, je n'ai ni fourchette ni couteau.

SERVEUSE: Excusez-moi. Tout est sur la table à côté du bar.

M. BERTRAND: Et le sel et le poivre?

SERVEUSE: Là-bas aussi avec les serviettes.

M. BERTRAND: Pardon, où sont les toilettes?

SERVEUSE: Les toilettes sont là-bas au fond. C'est la porte entre la machine à sous et le distributeur de cigarettes.

M. BERTRAND: Merci Madame.

EXPLICATIONS

Ni . . . ni

Sentences requiring 'neither . . . nor', use ni . . . ni *instead of* pas *or* pas de *in a negative sentence.*

je n'ai **pas de** fourchette

je n'ai **ni** fourchette **ni** couteau

il n'aime **pas** le fromage

il n'aime **ni** le fromage **ni** les hamburgers

Prepositions of place

These words tell you where things are.

sur la table
à côté du bar

***on** the table*
***next to** the bar*

La fourchette est **sur** la table.

La fourchette est **sous** la chaise.

Le sel est **entre** le poivre et le vinaigre.

La paille est **dans** le verre.

La machine à sous **à côté de** la porte.

Le distributeur de cigarettes est **près du** téléphone.

Note: à côté **de la** porte	*but*	à côté **du** (de + le) bar
près **de la** table	*but*	près **des** (de + les) toilettes

COMPREHENSION

1 *Unscramble these sentences.*

   a) fourchette pas n'ai de je

   b) la sur vin table est le

   c) de Gérard Monique côté est à

   d) fond là-bas téléphone au est le

   e) n'a sel ni il poivre ni

---

2 *Look at the illustrations below and fill in the missing word(s).*

   a) Le sel est . . . . poivre.

   b) Le couteau est . . . . la bouteille.

   c) La serviette est . . . . la table.

   d) Pierre est . . . . Marie et Claire.

   e) La cuiller est . . . . la moutarde.

   f) Le verre est . . . . le bar.

Now listen to the tape and practise the pronunciation.

---

3 *Make one sentence from the two given by using* ni . . . ni.

   e.g.   Je n'ai pas de fourchette + Je n'ai pas de couteau = Je n'ai **ni** fourchette **ni** couteau.

   a) Il n'aime pas le poulet.   Il n'aime pas la salade.

   b) Il n'a pas de ketchup.   Il n'a pas de moutarde.

   c) Je n'aime pas la bière.   Je n'aime pas le vin.

   d) Le sel n'est pas sur la table.   Le sel n'est pas sur le bar.

EXERCICES

1 Jeu de rôle: help the customer with her enquiries.

– Excusez-moi Madame, je n'ai pas de sel.

– *(Say that the salt is on the table near the door.)*

– Très bien. Et les toilettes s'il vous plaît?

– *(Tell her that they are over there at the back.)*

– Et le téléphone?

– *(Say it is next to the cigarette machine.)*

– Merci bien Madame.

– *(Say it's no problem.)*

Now listen to the model dialogue and practise the pronunciation with a partner.

2 Listen to the tape and compare the sentences with the translations below. Mark them with a tick or a cross.

   a) I like neither lemonade nor cola.

   b) The fruit machine is at the back of the bar.

   c) The pepper is next to the vinegar.

   d) The knife is on the table.

   e) The toilets are between the fruit machine and the telephone.

   f) Jean-Pierre is near Suzanne.

3 Now write down the translations of the sentences previously translated incorrectly.

4 With a partner, use the sketch below to improvise a dialogue in which a customer asks a publican where to find the various objects featured.

4

AU CHATEAU

SITUATION A: *un groupe de touristes belges arrive et achète des billets d'entrée*

VOCABULAIRE

vous êtes combien?	*how many are you?*
c'est gratuit	*it is free*
un guide	*a guide-book*
un adulte	*an adult*
un enfant	*a child*
un retraité	*a retired person*
un étudiant	*a student*
un bébé	*a baby*

EMPLOYÉ: C'est un groupe? Vous avez réservé?

TOURISTE: Non.

EMPLOYÉ: Vous êtes combien?

TOURISTE: Six adultes, trois enfants et un bébé.

EMPLOYÉ: Le bébé, c'est gratuit.

ETUDIANT: Je suis étudiant.

EMPLOYÉ: Alors, cinq adultes, trois enfants et un étudiant.

TOURISTE: Deux adultes sont retraités.

EMPLOYÉ: Donc, trois adultes, deux retraités, un étudiant et trois enfants?

TOURISTE: C'est correct, c'est combien?

EMPLOYÉ: Cinquante-six livres cinquante s'il vous plaît.

TOURISTE: Et un guide, s'il vous plaît.

EMPLOYÉ: En français?

TOURISTE: Oui.

EMPLOYÉ: C'est trois livres cinquante. Cinquante-neuf livres en tout.
    Merci Madame.

EXPLICATIONS

More numbers

21 vingt *et* un* **22** vingt-deux **23** vingt-trois

24 vingt-quatre **25** vingt-cinq **26** vingt-six

27 vingt-sept **28** vingt-huit **29** vingt-neuf

31 trente *et* un **41** quarante *et* un **61** soixante *et* un

* Note: use et *before 'one', but not any other number.*

Prices

To say prices in French, you read the number to the units (a), then add the currency (b), and finally the decimals (c). e.g. £59.50

(a) cinquante-neuf

(b) livres

(c) cinquante

Currencies

£1 = une livre (sterling)

1FF = un franc (français)

1FB = un franc (belge)

1FS = un franc (suisse)

Note: The 'c' at the end of franc *is never pronounced.*

C'est Franck C'est un franc

INFO!

- Continental tourists will expect a special tariff for students and for handicapped people. Students normally carry a student card and will produce it to obtain a reduced price ticket. If you do not offer such a price reduction, you will have to say, *Non, il n'y a pas de tarif spécial étudiant.*

COMPREHENSION

 1 *Listen to the following sentences whilst looking at the text of the conversation (p.42) and tick* vrai *if they match the conversation, and* faux, *if they don't.*

	Vrai	Faux
a)		
b)		
c)		
d)		
e)		
f)		

 2 *Answer the following questions in French from the information given in the extract of the brochure for* Bagatelle, zoo promenade.

a) Les bébés, c'est combien?

b) Les retraités, c'est combien?

c) Les billets ordinaires, c'est combien?

d) Les enfants de deux ans, c'est combien?

e) Les personnes handicapées, c'est combien?

BAGATELLE

Informations pratiques

ENTRANCE FEES 1992 (Per Person)	TARIF INDIVIDUEL 1992
• Including unlimited access to all attractions **75F**	• Comprenant l'accès à volonté à toutes les attractions **75F**
• Accompanied child from 3 to 4 yrs or between 1 m and 1,20 m height; handicapped person; over 60s **50F**	• Enfant de 3 à 4 ans ou de 1 m à 1,20 m (accompagné). Personne handicapée et personne plus de 60 ans **50F**
• Accompanied child under 3 yrs or under 1 m height .... **Free**	• Enfant moins de 3 ans ou de moins de 1 m.. (accompagné) **Gratuit**

EXERCICES

😐 1 *Compréhension orale:* listen to the prices given and fill in the admission prices in the brochure below.

Adults	£ . . . .
Senior citizens, disabled, students	£ . . . .
Children under 14	£ . . . .
Children under 5	£ . . . .
Groups (10 or more)	£ . . . .
School parties	£ . . . .
Family ticket	£ . . . .

2 Jeux de rôle: (in groups of up to 4 people) using the price list from Chatham Historic Dockyard given opposite, play the part of the receptionist and sell tickets to the others according to their requests, using the initial conversation (p.42) as a guide, then change role until all members of the group have played both parts.

Admission Prices
(Inc VAT at 17.5%)

Adult £5.20
Senior Citizen, Student £4.50
Child (5-16 years) £2.60
Family Ticket £12.00 (2 adults + 2 children or 1 adult + 3 children)
Under 5's free.
Guided tour:
Adult £1 extra
Child: Guided tour no extra charge

> Keep your ticket for a return visit discount of 50%.
> *Offer valid for 12 months from date of first visit.*

3 Referring to all previous samples of price lists in this situation, try to understand the content of the admission prices for . . .

MUSÉE DE LA CHARTREUSE	TARIFS DES VISITES GUIDÉES
DÉPARTEMENTS ARCHÉOLOGIE, SCIENCES NATURELLES ET AQUARIUM	**ARCHÉOLOGIE**
	– Groupes adultes Prestation guide : 250 F
	- Groupes scolaires : visites ou animations Écoles de Douai : gratuites Écoles hors de Douai : participation : 80 F
AQUARIUM Visites guidées gratuites. Il n'y a pas de visites guidées le jeudi.	**GROUPES LIMITÉS A 15 PERSONNES**

SITUATION B: *Mme Bouteaux téléphone au château*

VOCABULAIRE

en autocar	*by coach*
bon voyage!	*have a good trip!*
un petit changement	*a small change*
déjeuner	*lunch*
à dimanche	*see you on Sunday!*
le repas	*meal*
une salle	*room*
un délégué	*a delegate*
un instant! (on telephone)	*hold the line*

EMPLOYÉ: Allô, Leeds Castle.

MME BOUTEAUX: Je voudrais confirmer ma réservation de salle, s'il vous plaît.

EMPLOYÉ: Oui, votre nom?

MME BOUTEAUX: C'est Bouteaux, de Pharmacil.

EMPLOYÉ: Un instant . . . oui, vous arrivez dimanche, oui?

MME BOUTEAUX: Oui, à neuf heures trente. Pouvez-vous confirmer les heures des repas s'il vous plaît?

EMPLOYÉ: Le déjeuner est à douze heures trente et le dîner à dix-neuf heures.

MME BOUTEAUX: Merci. Nous avons aussi un petit changement.

EMPLOYÉ: Oui?

MME BOUTEAUX: Le nombre de délégués est vingt-quatre.

EMPLOYÉ: Alors, vingt-quatre et non vingt et un, c'est ça?

MME BOUTEAUX: Oui, c'est ça.

EMPLOYÉ: Et vous arrivez en autocar?

MME BOUTEAUX: Oui, nous prenons le ferry de sept heures à Calais.

EMPLOYÉ: Alors, bon voyage et à dimanche Madame Bouteaux.

MME BOUTEAUX: Merci, au revoir Monsieur.

EXPLICATIONS

Quelle heure est-il? *(What time is it?)*

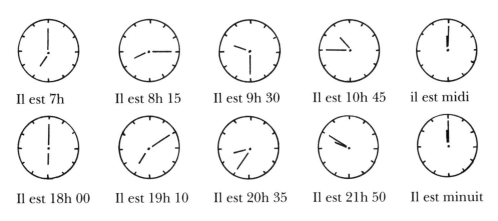

Il est 7h	Il est 8h 15	Il est 9h 30	Il est 10h 45	il est midi

Il est 18h 00	Il est 19h 10	Il est 20h 35	Il est 21h 50	Il est minuit

Notes: It is easier to use the 24 hour clock, which is the normal way to tell the time in a formal way; you simply read the words as they are written, e.g. dix-huit heures trente. *It avoids having to specify 'am' or 'pm'.*
12 o'clock (noon) is normally referred to as midi, *and 12 o'clock (night) as* minuit.

Jours de la semaine

lundi

mardi

mercredi

jeudi

vendredi

samedi

dimanche

lundi		6	13	20	27
mardi		7	14	21	28
mercredi	1	8	15	22	29
jeudi	2	9	16	23	30
vendredi	3	10	17	24	31
samedi	4	11	18	25	
dimanche	5	12	19	26	

Note: To say 'on Monday' (i.e. next Monday), use the name of the day by itself, e.g. lundi.
If you put le *in front of the day, it means 'every':* **le** dimanche = *on Sundays (i.e. **every** Sunday).*

Pouvoir *(can/to be able to)*

je peux	*I can*	nous pouvons	*we can*
tu peux	*you can*	vous pouvez	*you can*
il/elle peut	*he/she can*	ils/elles peuvent	*they can*

INFO!

- There are a few variations between bank holidays in Britain and on the Continent, so visitors to this country will find it strange that the following dates are not *jours de fête*: 1st May (May day), 8th May (Armistice day), Whit-Monday, 15th August (Assumption day), 1st November (All Saints day), 11th November (1st World War Armistice day). On the other hand, they will not always know that the following dates are bank holidays in Britain: Good Friday, May Day, Spring (*printemps*) and Summer (*été*) bank holidays, Boxing Day, Scottish or Irish bank holidays.

COMPREHENSION

 1 *Look at the* information pratique *from Bagatelle Theme Park and give the answers to the following questions in French.*

> BAGATELLE est ouvert tous les jours
> du 18 avril au 9 septembre 1992.
>
> Les mercredis, samedis, dimanches
> du 11 au 15 avril
> du 12 au 27 septembre 1992.
>
> Horaires du Parc : 10h à 19h.
>
> Des attractions : 10h30 à 18h30.

a) En mai, le parc est ouvert le lundi?

b) Le parc est ouvert le 12 avril?

c) Le parc est ouvert à 20 heures?

d) Le parc est ouvert en décembre?

e) En septembre, le parc est ouvert le dimanche?

f) Les attractions sont ouvertes à 10 heures?

g) Il y a des spectacles en avril?

2 *Look through this section, and find out the French words or phrases for:*

a) April   b) to miss

c) a show   d) twice a day

e) in the open air   f) open

g) every day.

 3 *Dictionary work:* find the names of the months and seasons which are *not* in this unit and then practise the pronunciation with the cassette.

EXERCICES

1 Listen to the times given on the cassette, and complete the clock faces below.

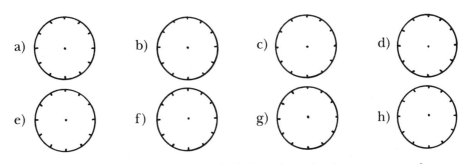

2 Now read out the times given on the clocks below, then check your answers by listening to the tape.

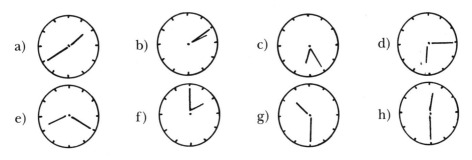

3 Jeu de rôle: play the part of the switchboard operator receiving the following enquiry in French:

– Allô, l'Arsenal de Chatham?

– (Greet the caller and confirm.)

– Vous êtes ouvert les jours fériés?

– (Give the information for the summer.)

– Et en hiver?

– (Give the relevant information.)

– Et le mardi?

– (Give the relevant information.)

– Et vous êtes ouvert jusqu'à dix-huit heures, c'est ça?

– (Say no, and give correct time.)

– D'accord c'est noté, je vous remercie.

– (Say that it is a pleasure and close the conversation.)

Opening Hours 1992/3

Summer:
29th March - 31st October 1992
Wednesday to Sunday and bank holidays 10am to 6pm*
Closed Mondays and Tuesdays except bank holidays.

Winter:
1st November 1992 - 27th March 1993. Wednesday, Saturday and Sunday 10am to 4.30pm*
Closed Monday, Tuesday, Thursday and Friday.

*Last admission one hour earlier.
Children not admitted unless accompanied by an adult

SITUATION C: *Yves Duteuil, un étudiant, va au restaurant self-service*

VOCABULAIRE

de la viande	*some meat*
de la purée	*some mashed potatoes*
des rognons	*kidneys*
le poisson	*fish*
noir	*black*
un café au lait	*coffee with milk*
le pain	*bread*
c'est tout	*that's all*
soixante-quinze	*seventy-five*
la caisse	*the till*
la sortie	*the exit*

YVES: Pardon Mademoiselle, le *cottage pie*, qu'est-ce que c'est?

SERVEUSE: C'est de la viande et de la purée gratinée.

YVES: Oh . . . et le *steak and kidney pie*?

SERVEUSE: C'est une tarte au steak et aux rognons.

YVES: Oh, non, je préfère le poisson et les frites.

SERVEUSE: Thé? Café?

YVES: Une carafe d'eau et un café s'il vous plaît.

SERVEUSE: Un café noir ou au lait?

YVES: Noir, bien sûr. Il n'y a pas de pain?

SERVEUSE: Non Monsieur, je suis désolée. Il y a des biscuits pour le fromage.

YVES: Non merci. Alors c'est tout.

SERVEUSE: Alors ça fait cinq livres soixante-quinze Monsieur. Vous payez à la caisse à la sortie.

EXPLICATIONS

 **70 à 80**

71 soixante *et* onze **72** soixante-douze **73** soixante-treize

74 soixante-quartorze **75** soixante-quinze **76** soixante-seize

77 soixante-dix-sept **78** soixante-dix-huit **79** soixante-dix-neuf

80 quatre-vingt

à + la/le/l'/les

Don't forget that à *changes its form (see Unit 2).*

à + la = à la   Il paie **à la** caisse

à + le = au   Il paie **au** guichet

à + l' = à l'   Il paie **à l'**entrée

à + les = aux   Il paie **aux** serveuses

These forms mean either 'at the', 'to the' or 'with' as in the following:

une tarte **à la** crème
a cream tart

un gâteau **au** chocolat
a chocolate cake

une tarte **à** l'oignon
an onion tart

une tarte **aux** fruits
a fruit pie

 Couleurs

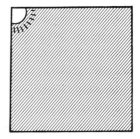

un chat noir   une souris blanche   le ciel bleu

un feu vert   un feu rouge   un oeuf jaune et blanc

Note: you use blanc *for masculine words, and* blanche *for feminine ones.*

INFO!

- Few French people drink tea or coffee with milk, except for breakfast. They might not think of specifying 'black' when ordering.

- They expect bread and water to be provided or at least to be available. They will not normally be used to biscuits for cheese. French people tend to eat cheese at every meal before the dessert.

- French people have a poor opinion of British cuisine. Particularly renowned to them for being 'awful' are 'large' green peas, tinned tomatoes served as vegetables and baked beans (which they call 'sweet' beans).

COMPREHENSION

1 *Study the two price lists from Leeds Castle and Bagatelle Theme Park and decide where you can buy the food listed below. Mark* **L** *for Leeds and* **B** *for Bagatelle.*

Restaurant Fairfax Hall

Le Fairfax Hall, qui était à l'origine, au 17ème siècle, une grange où l'on emmagasinait le blé de la dîme, a été soigneusement restauré et offre des déjeuners, des thés, des collations et un bar dans un cadre datant des rois Jacques d'Angleterre.

BON APPÉTIT ET RENDEZ-VOUS AUX :
Ranch ■ pique-nique et friterie, pour se régaler avec les doigts !
Fast-food ■ à table ou en plein air et ses célèbres Burgers à dévorer à partir de : 12 F.
Marotte ■ le repas en self-service x formules à partir de 31 F.
Paillotte ■ les grillades et les pizzas à partir de 36 F.
Licorne ■ menu gourmet à partir de 72 F + la carte.

---

a) bar service	d) pancakes	g) tea	j) hamburgers
b) soft drinks	e) coffee	h) lunches	k) Italian food
c) grills	f) ice cream	i) chips	l) snacks

---

2 *Put* le/la/les *in front of these names of food or dishes.*

a) . . . . . pain	b) . . . . . steak	c) . . . . . café	d) . . . . . fromage
e) . . . . . purée	f) . . . . . viande	g) . . . . . tarte	h) . . . . . salade
i) . . . . . biscuits	j) . . . . . crème	k) . . . . . frites	l) . . . . . pizza
m) . . . . . burger	n) . . . . . poisson	o) . . . . . thé	p) . . . . . chocolat

---

EXERCICES

1 Listen to the food prices mentioned on the cassette and complete the French price-list:

BOISSONS		PLATS	
a) coca cola	. . . . .	g) croque-monsieur	. . . . .
b) orangina	. . . . .	h) frites	. . . . .
c) bière bouteille	. . . . .	i) saucisse	. . . . .
d) eau minérale	. . . . .	j) sandwichs	. . . . .
e) café	. . . . .	k) tarte maison	. . . . .
f) chocolat	. . . . .	l) fromage	. . . . .

2 Jeu de rôle: at the till, you have to deal with an awkward customer!

– *(Tell him that his bill is £13.00.)*

– Mais c'est impossible, il y a une erreur.

– *(Recheck with him the content of his tray:*
1 soup, bread, 1 cottage pie, 1 fish and chips, 1 orange juice, 1 cheese and biscuits, 1 chocolate gateau, 1 bottle of mineral water, 2 coffees, and confirm the total)

– Ah, pardon, vous avez raison, il n'y a pas d'erreur.

cottage pie	£2.75
Cornish pastry	£1.90
Cod and chips	£3.25
Sausage rolls	60p
steak and kidney pie	£3.25
soup	£1.00
bread rolls	40p
cheese and biscuits	£1.20
chocolate gateau	£1.60
trifle	£1.60
ice cream	90p
tea	55p
coffee	65p
orange juice	60p
mineral water	90p
soft fizzy drinks	90p

3 Now, with a partner, use the price list to make further conversations, taking orders and giving the total price to a customer.

Unité Cinq

A L'HÔTEL

SITUATION A: *une touriste belge téléphone à un hôtel à Stratford-upon-Avon*

TOURISTE: Bonsoir, Monsieur.

RÉCEPTION: Bonsoir, Madame. Je peux vous aider?

TOURISTE: Oui, Monsieur. Je voudrais faire une réservation, s'il vous plaît.

RÉCEPTION: Ne quittez pas. Je vous passe le service des réservations.

RÉSERVATIONS: Bonsoir, Madame. Vous voulez réserver une chambre?

TOURISTE: Oui, Monsieur. Sept chambres. Trois pour deux personnes, avec salles de bains, et quatre pour une personne avec douche, du vendredi vingt-deux au dimanche vingt-quatre inclus.

RÉSERVATIONS: Je suis désolée, mais l'hôtel est complet samedi. Il n'y a pas de chambres pour deux personnes.

TOURISTE: Il y a un autre hôtel dans le quartier?

RÉSERVATIONS: Bien sûr. Il y a l'hôtel Swan et l'hôtel Arden Forest près du théâtre.

TOURISTE: Parfait . . . nous allons au théâtre samedi soir. Vous avez les numéros de téléphone?

RÉSERVATIONS: Oui, Madame. Le Swan c'est le 23 44 56 et le Arden Forest le 24 49 51.

TOURISTE: Merci, Monsieur.

RÉSERVATIONS: Je vous en prie, Madame. Bonsoir.

EXPLICATIONS

Telephone numbers

In France, all telephone numbers have eight digits. They include the local area code (l'indicatif). *They usually have* le *in front and are always read in twos, e.g.* le 10 12 09 19 (le dix, douze, zero neuf, dix-neuf).

Telephone phrases

Certain phrases are used only on the phone. Listen to the tape and try to learn these commonly used phrases.

ne quittez pas	*hold the line (please)*
c'est de la part de qui?	*who's calling/speaking?*
un instant, je vous prie	*a moment, please*

Apologising

Expressions of apology include the following:

je regrette	*I apologise*
je suis désolé(e)	*I'm sorry*
je suis navré(e)	*I'm very sorry*

These expressions are the most useful, although there are others you may hear.

Faire *(to do/to make)*

The verb faire *means to do or to make.*

je fais	*I do/make*	nous faisons	*we do/make*
tu fais	*you do/make*	vous faites	*you do/make*
il fait	*he does/makes*	ils font	*they do/make*
elle fait	*she does/makes*	elles font	*they do/make*

Il fait des crêpes

INFO!

* Remember that British and continental European bank holidays almost never coincide! Your French or Belgian visitors may be unaware of the dates of British bank holidays.

COMPREHENSION

 Look at the information from the RSC's Stop-Over brochure which advertises hotel/theatre packages and match up the French descriptions you hear on the tape.

◆ A three course dinner in the RST's Box Tree Restaurant before (5.45 pm) or after (approx. 10.30 pm) the performance.

◆ One night's accommodation sharing twin/double room with bath/shower at hotels in Luxury, Deluxe, A & B categories, category C rooms are without bath. All provide full English breakfast.

SINGLE ROOM SUPPLEMENT PER NIGHT
Hotels in Luxury category £13.00, Deluxe £12.00,
Package A £10.00, Package B £8.00, Package C £5.00.
Single room supplement does not apply to Lysander Court when occupied by two or more people.

EXERCICES

1 Two French-speaking visitors phone you to make a reservation. Write down their details.

Christian name: Surname:
Telephone number:
Day and time of arrival:
Type of room: (double + bath) (double + shower)
(single + bath) (single + shower)

2 Listen to the tape and write down in English what you understand.

3 Listen to the visitors' requests and tick the last column if the room is available.

Day/Date	Double + bath	Single + bath	Double + shower	Single + shower	Available
Mon. 13	x	–	x	x	
Tues. 14	–	x	x	x	
Wed. 15	x	x	–	–	
Thur. 16	x	–	–	–	
Fri. 17	–	–	–	x	

4 Jeu de rôle: help the customer with his booking.

– Bonjour, Monsieur.

– *(Say hello, Madam.)*

– Je voudrais une chambre avec salle de bains pour deux personnes jeudi, s'il vous plaît.

– *(Say yes, Madam. Ask if that is Thursday the 12th?)*

– Non, le jeudi 19.

– *(Say you're very sorry, but the hotel is full. There is the Boar's Head in the town centre.)*

– Merci, Monsieur.

– *(Say you're welcome and goodbye, Madam.)*

SITUATION B: *la touriste belge téléphone à un hôtel*

VOCABULAIRE

avec un grand lit/à deux lits	*with a double bed/twin beds*
quelle	*what/which?*
en tout	*in all*
vous pouvez répéter?	*can you repeat that?*
la ligne est très mauvaise	*it's a very bad line*
c'est noté	*I've taken note of that*
je vous remercie beaucoup	*thank you very much (formal)*

MME PICHET: Bonsoir, Monsieur. Je voudrais faire une réservation.

RÉCEPTION: Oui, Madame. C'est pour combien de personnes?

MME PICHET: Pour dix personnes. Je voudrais sept chambres, s'il vous plaît. Trois pour deux personnes, avec salles de bains, trois pour une personne avec salles de bains et une pour une personne avec douche.

RÉCEPTION: C'est pour quelle date?

MME PICHET: Du vendredi vingt-deux mai au dimanche vingt-quatre inclus. Trois nuits en tout.

RÉCEPTION: Vous préférez des chambres à deux lits ou avec un grand lit?

MME PICHET: Deux avec un grand lit, une à deux lits.

RÉCEPTION: Bien, Madame.

MME PICHET: C'est combien, s'il vous plaît?

RÉCEPTION: La chambre pour deux personnes, quatre-vingt-six livres par nuit, la chambre avec douche pour une personne, cinquante-deux livres vingt et la chambre pour une personne avec salle de bains, cinquante-sept livres.

MME PICHET: Parfait.

RÉCEPTION: C'est à quel nom, s'il vous plaît?

MME PICHET: Jeanne Pichet. P I C H E T.

RÉCEPTION: Vous pouvez répéter, s'il vous plaît. La ligne est très mauvaise.

MME PICHET: P I C H E T.

RÉCEPTION: Très bien. C'est noté. Je vous remercie beaucoup, Madame.

MME PICHET: Merci et au revoir, Monsieur.

EXPLICATIONS

Quel/quelle

These words are used in questions to mean 'what . . . ?' or 'which . . . ?'. Quel describes masculine things, quelle *feminine ones.*

quel jour?   quelle voiture?

For more than one, add an 's'.

More numbers

Take the word for 80 and add numbers 1 to 19 to it until you get to 99. Listen to the tape and practise saying them out loud.

81	quatre-vingt-un	**91**	quatre-vingt-onze
82	quatre-vingt-deux	**92**	quatre-vingt-douze
83	quatre-vingt-trois	**93**	quatre-vingt-treize
84	quatre-vingt-quatre	**94**	quatre-vingt-quatorze
85	quatre-vingt-cinq	**95**	quatre-vingt-quinze
86	quatre-vingt-six	**96**	quatre-vingt-seize
87	quatre-vingt-sept	**97**	quatre-vingt-dix-sept
88	quatre-vingt-huit	**98**	quatre-vingt-dix-huit
89	quatre-vingt-neuf	**99**	quatre-vingt-dix-neuf
90	quatre-vingt-dix	**100**	CENT!

The months and seasons

These are very similar to English. Listen carefully to the tape and practise saying them.

janvier	*January*	juillet	*July*
février	*February*	août	*August*
mars	*March*	septembre	*September*
avril	*April*	octobre	*October*
mai	*May*	novembre	*November*
juin	*June*	décembre	*December*

le printemps   l'été   l'automne   l'hiver

COMPREHENSION

Below is an excerpt from a Royal Shakespeare Company brochure showing times and dates of performances. Listen to the French tourist's questions, il y a une pièce de théâtre le . . . ? *(is there a play on the . . . ?) and answer:*

oui, l'après-midi *if there is a matinée performance*

oui, le soir *if there is an evening performance*

non, je suis désolé(e) *if there is no performance*

PC	Day	Date	Time	RST
	Mon	22 Jun		No perf
	Tue	23 Jun		No perf
	Wed	24 Jun		No perf
M	Thu	25 Jun	7.30	WINTER
M	Fri	26 Jun	7.30	WINTER
M	Sat	27 Jun	1.30m	WINTER
S	Sat	27 Jun	7.30	WINTER
M	Mon	29 Jun	7.30	WINTER
M	Tue	30 Jun	7.30	WINTER
S	Wed	1 Jul	7.00pn	WINTER
S	Thu	2 Jul	1.30m	WINTER
S	Thu	2 Jul	7.30	WINTER
S	Fri	3 Jul	7.30	SHREW
S	Sat	4 Jul	1.30m	SHREW
X	Sat	4 Jul	7.30	AS YOU
S	Mon	6 Jul	7.30	AS YOU
S	Tue	7 Jul	7.30	WINTER
S	Wed	8 Jul	7.30	WINTER
S	Thu	9 Jul	1.30m	SHREW
S	Thu	9 Jul	7.30	SHREW
S	Fri	10 Jul	7.30	AS YOU
S	Sat	11 Jul	1.30m	WINTER
X	Sat	11 Jul	7.30	SHREW

	Day	Date	Time	Play
S	Mon	13 Jul	7.30	SHREW
S	Tue	14 Jul	7.30	WINTER
S	Wed	15 Jul	7.30	AS YOU
S	Thu	16 Jul	1.30m	AS YOU
S	Thu	16 Jul	7.30	WINTER
S	Fri	17 Jul	7.30	WINTER
S	Sat	18 Jul	1.30m	AS YOU
X	Sat	18 Jul	7.30	SHREW
S	Mon	20 Jul	7.30	SHREW
S	Tue	21 Jul	7.30	AS YOU
S	Wed	22 Jul	7.30	WINTER
S	Thu	23 Jul	1.30m	WINTER
S	Thu	23 Jul	7.30	SHREW
S	Fri	24 Jul	7.30	SHREW
S	Sat	25 Jul	1.30m	AS YOU
X	Sat	25 Jul	7.30	WINTER
S	Mon	27 Jul	7.30	WINTER
S	Tue	28 Jul	7.30	WINTER
S	Wed	29 Jul	7.30	AS YOU
S	Thu	30 Jul	1.30m	AS YOU
S	Thu	30 Jul	7.30	WINTER
S	Fri	31 Jul	7.30	SHREW
S	Sat	1 Aug	1.30m	SHREW
X	Sat	1 Aug	7.30	AS YOU

	Day	Date	Time	Play
S	Mon	3 Aug	7.30	SHREW
S	Tue	4 Aug	7.30	WINTER
S	Wed	5 Aug	7.30	AS YOU
S	Thu	6 Aug	1.30m	AS YOU
S	Thu	6 Aug	7.30	SHREW
S	Fri	7 Aug	7.30	SHREW
S	Sat	8 Aug	1.30m	AS YOU
X	Sat	8 Aug	7.30	WINTER
S	Mon	10 Aug	7.30	SHREW
S	Tue	11 Aug	7.30	AS YOU
S	Wed	12 Aug	7.30	WINTER
S	Thu	13 Aug	1.30m	WINTER
S	Thu	13 Aug	7.30	WINTER
S	Fri	14 Aug	7.30	WINTER
S	Sat	15 Aug	1.30m	WINTER
X	Sat	15 Aug	7.30	WINTER
S	Mon	17 Aug	7.30	AS YOU
S	Tue	18 Aug	7.30	WINTER
S	Wed	19 Aug	7.30	SHREW
S	Thu	20 Aug	1.30m	SHREW
S	Thu	20 Aug	7.30	AS YOU
S	Fri	21 Aug	7.30	AS YOU
S	Sat	22 Aug	1.30m	AS YOU
X	Sat	22 Aug	7.30	WINTER

	Day	Date	Time	Play
	Mon	24 Aug		No perf
	Tue	25 Aug		No perf
	Wed	26 Aug		No perf
M	Thu	27 Aug	7.30	MERRY
M	Fri	28 Aug	7.30	MERRY
M	Sat	29 Aug	1.30m	MERRY
S	Sat	29 Aug	7.30	MERRY
M	Mon	31 Aug	7.30	MERRY
M	Tue	1 Sep	7.30	MERRY
S	Wed	2 Sep	7.00pn	MERRY
S	Thu	3 Sep	1.30m	MERRY
S	Thu	3 Sep	7.30	MERRY
S	Fri	4 Sep	7.30	WINTER
S	Sat	5 Sep	1.30m	WINTER
X	Sat	5 Sep	7.30	SHREW
S	Mon	7 Sep	7.30	SHREW
S	Tue	8 Sep	7.30	AS YOU
S	Wed	9 Sep	7.30	MERRY
S	Thu	10 Sep	1.30m	WINTER
S	Thu	10 Sep	7.30	WINTER
S	Fri	11 Sep	7.30	AS YOU
S	Sat	12 Sep	1.30m	MERRY
X	Sat	12 Sep	7.30	WINTER

EXERCICES

1 Listen to the tape and write down the dates you hear.

2 Listen to the prices you hear and circle them.

| £61 | £100 | £88 | £42 | £79 | £89 | £90 |
| £59 | £91 | £48 | £24 | £82 | £96 | £86 |

3 Listen to the list of names read out to you and write them down.

4 Read the following dates in French then compare your pronunciation with the tape.

a) 9 September   d) 16 February

b) 29 August   e) 13 March

c) 15 July   f) 14 January

5 Jeu de rôle: play the part of the receptionist and help the tourist.

– Bonjour, Madame. Je voudrais réserver une chambre.

– *(Ask for how many people and for what date.)*

– Pour deux personnes. Le 16 juillet.

– *(Say you are sorry, but the hotel is full.)*

– Vous avez une chambre le 17 juillet?

– *(Say there is a room with a bathroom on the 17th.)*

– Très bien. C'est combien?

– *(Say the room costs £92 and that breakfast is included.)*

– Parfait.

– *(Ask for her name.)*

– Madame Claudine Josset.

– *(Repeat the letters of her surname to check that you have got them right and say thank you.)*

Now listen to the tape again and practise your pronunciation.

SITUATION C: *un touriste arrive dans un hôtel*

VOCABULAIRE

au rez-de-chaussée	*on the ground floor*
handicapé(e)	*disabled*
un fauteuil roulant	*a wheelchair*
en cas d'incendie	*in case of fire*
des repas de régime	*diet meals*
cela vous convient?	*is that all right/suitable for you?*
veuillez remplir la fiche	*please fill in the form*
vos coordonnées	*your details*
il faut combien de temps?	*how much time do you need/does it take?*
bonne promenade!	*have a pleasant walk!*

TOURISTE: Bonjour, Mademoiselle. Je voudrais réserver une chambre pour deux personnes.

RÉCEPTION: Bonjour, Monsieur. Une chambre avec salle de bains ou avec douche?

TOURISTE: Une grande chambre avec salle de bains au rez-de-chaussée, c'est possible? Ma femme est handicapée. Elle est en fauteuil roulant. Une chambre au rez-de-chaussée . . . en cas d'incendie c'est très important.

RÉCEPTION: Bien sûr, Monsieur. Et le restaurant et le bar sont au rez-de-chaussée aussi.

TOURISTE: Très bien.

RÉCEPTION: Et votre femme a un régime spécial? Notre restaurant prépare des repas de régime.

TOURISTE: Excellent! C'est combien, la chambre?

RÉCEPTION: Quatre-vingt-quatre livres, Monsieur. Cela vous convient?

TOURISTE: Parfait.

RÉCEPTION: Veuillez remplir la fiche, Monsieur, avec vos coordonnées.

TOURISTE: Voilà. Il faut combien de temps pour aller en ville?

RÉCEPTION: Dix minutes.

TOURISTE: Très bien. Je vais faire une promenade avec ma femme avant le déjeuner.

RÉCEPTION: Bien, Monsieur. Bonne promenade!

EXPLICATIONS

Il faut

Il faut *means it is necessary or you have to. It is very useful for giving instructions to people.*

il faut tourner à droite
(you have to turn right)

il faut combien d'oeufs?
(how many eggs do you need/does it take?)

Veuillez

This is a very polite, formal way of saying please. It can be used instead of s'il vous plaît.

Hotel words

l'ascenseur

le parking

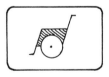

le fauteuil roulant

la cuisine

la piscine

la femme de chambre

COMPREHENSION

With the help of your dictionary, read the price list below and answer the questions.

a) How much is the standard price for a twin-bedded room with shower for two people?

b) How much would you pay if you were staying more than four days, full board, for a single room with bathroom and toilet?

c) Are there any reductions for children? Give full details.

d) If you stayed for a gourmet weekend, how much would a twin-bedded room with bathroom cost?

e) When does the hotel close?

f) What will you find in every room?

TARIF 1992

CHAMBRES	1 pers	2 pers	3 pers
Lavabo 1 lit	129	157	
Cabinet de toilette 1 lit	181	204	
Salle de bains 2 lits	190	245	306
Salle de bains WC 1 lit	236	259	
Douche WC 2 lits	236	300	388
Douche WC salon 1 lit	236	320	388
Petit déjeuner	30		

A partir de 4 jours	PENSION		1/2 PENSION	
	1 pers	2 pers	1 pers	2 pers
Lavabo 1 lit	239	433	207	369
Cabinet de toilette 1 lit	268	480	236	416
Salle de bains 2 lits		522		458
Salle de bains WC 1 lit	287	544	255	480
Douche WC 2 lits		556		492
Douche WC 1 lit salon		577		513

Enfant dans la chambre des parents 155 frs jusque 10 ans

Moins de 4 jours	LA JOURNEE ETAPE chambre, deux repas un petit déjeuner		LA 1/2 JOURNEE chambre, un repas un petit déjeuner	
	1 pers	2 pers	1 pers	2 pers
Lavabo 1 lit	349	596	254	407
Cabinet de toilette 1 lit	401	644	306	454
Salle de bains 2 lits	410	685	315	495
Salle de bains WC 1 lit	456	699	361	509
Douche WC 2 lits	456	740	361	550
Douche WC 1 salon lit	456	760	361	570

WEEK-END GASTRONOMIQUE

chambre, un repas à 95 frs, un repas à 175 frs, un petit déjeuner

	1 pers	2 pers
Lavabo 1 lit	429	756
Cabinet de toilette 1 lit	481	804
Salle de bains 2 lits		845
Salle de bains WC 1 lit	536	859
Douche WC 2 lits		900
Douche WC 1 lit suite	920	

Toutes les chambres sont équipées de téléphone direct et de téléviseur

Fermeture annuelle du 23 décembre au 30 janvier

EXERCICES

1 Giving people instructions using *il faut*. Make up the instructions and compare them with the tape.

    a) Tell a handicapped person that he should take the lift

    b) Tell someone in a hurry that they should take the bus

    c) Tell a friend that he needs to book a room

    d) Tell a French tourist who is lost that she needs to turn right

2 Put this jumbled dialogue in the right order:

    a) je voudrais une chambre, s'il vous plaît

    b) pour une personne

    c) bonjour, Monsieur, je peux vous aider?

    d) parfait. Merci, Mademoiselle

    e) bonjour, Mademoiselle

    f) pour combien de personnes?

    j) il y a une chambre avec douche

3 Jeu de rôle: take the part of the receptionist.

    – Bonsoir, Monsieur.

    – *(Say good evening, Madame.)*

    – Je voudrais réserver une chambre.

    – *(Ask if it is a single or double room.)*

    – Une chambre pour deux personnes.

    – *(Ask very politely if the lady would fill in the form.)*

    – Voilà, Monsieur.

    – *(Say thank you very much, Madam.)*

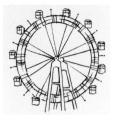

Unité Six

AU PARC D'ATTRACTIONS

SITUATION A: *une famille française arrive et achète les billets d'entrée*

VOCABULAIRE

qu'est-ce que c'est?	*what is it?*
moins	*less*
plus	*more*
au lieu de	*instead of*
c'est cher	*it's expensive*
une carte bleue	*a credit card*
votre billet	*your ticket*
les flèches	*the arrows*
le parking	*car park*

CLIENT: Deux adultes et trois enfants s'il vous plaît.
EMPLOYÉE: Vous voulez un billet familial?
CLIENT: Qu'est-ce que c'est?
EMPLOYÉE: Un billet spécial pour deux adultes et deux enfants.
CLIENT: C'est moins cher?
EMPLOYÉE: Oui, dix-sept livres au lieu de vingt.
CLIENT: Nous avons *trois* enfants . . .
EMPLOYÉE: Ils ont moins de cinq ans?
CLIENT: Non, un a moins de cinq ans.
EMPLOYÉE: Les moins de cinq ans, c'est gratuit.
CLIENT: Alors, un billet familial. Vous acceptez la carte bleue?
EMPLOYÉE: Oui Monsieur . . . Signez ici, voilà votre billet, votre carte, et le plan.
    Bonne journée, suivez les flèches pour le parking.

EXPLICATIONS

More or less

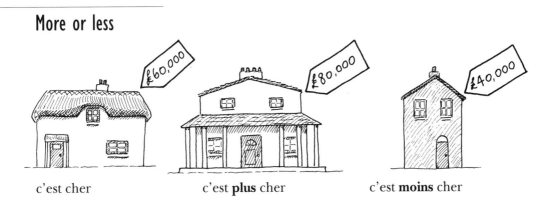

c'est cher   c'est **plus** cher   c'est **moins** cher

More everyday orders or requests

To give orders or make requests, take the vous *form of the verb, ending in* ez, *and use it on its own.*

signez!   passez!   suivez!

How to say 'your'

If there is only one object, use the word votre; *for more than one object, use* vos.

voilà votre clé   voilà vos clés

Vouloir *(to want)*

You have already learned, je voudrais, *(I would like), here is the complete verb* vouloir.

je veux	*I want*	nous voulons	*we want*
tu veux	*you want*	vous voulez	*you want*
il/elle veut	*he/she wants*	ils/elles veulent	*they want*

INFO!

- Many foreign tourists will be unfamiliar with family tickets, so it may be a good idea to offer one if they do not ask for it. But, as in the sample conversation, the reply may be, *Qu'est-ce que c'est?*

- Franglais and *faux amis* (false friends). Although many French words are similar to English ones (look in Units One to Five and see how many of these you can find), beware, as English words used in French may have a different meaning (like *parking* for car park). Words which are similar do not always mean what you think! (Can you find an example of this in the previous conversation at the ticket office?)

COMPREHENSION

1 *Examine the descriptions of the four cards from the* Crédit Lyonnais *bank, and decide which allow you:*

a) to pay for your goods on credit

b) to benefit from extra services from the bank

c) to use the *Crédit Lyonnais* cashpoint

d) to pay for goods abroad

	Retrait	Paiement	Crédit	Services
CARTE LION 7/7 : elle permet le retrait d'argent 7 jours sur 7 au Crédit Lyonnais				
CARTE BLEUE VISA : elle offre toutes les commodités d'un moyen international de paiement et de retrait.				
CARTE BLEUE VISA SUPERLION : en plus des fonctionnalités d'une carte VISA, elle vous permet de régler vos achats au comptant ou à crédit.				
CARTE VISA PREMIER : elle renforce les possibilités d'une carte VISA et offre en plus une sélection de sécurités et d'avantages, dont une ligne de crédit personnalisée.				

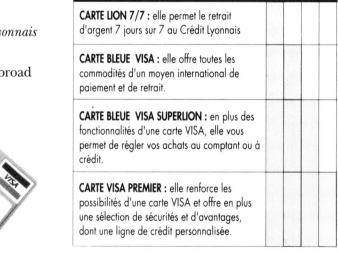

i)

ii)　　　　　iii)　　　　　iv)

2 *Study this information about cash withdrawals with Visa and Premier cards, then say if the following statements are true or false. (You may need a dictionary to find the meaning of a few words.)*

a) You can use both cards outside France

b) With Visa, you can withdraw 2 000 FF a day

c) More than 9 000 000 shops in the world accept payment by Visa card

d) With Premier, in France you can take out 6 000 FF every two days

D ES REPONSES A VOS QUESTIONS

Quelles sont les possibilités de retrait associées à une carte VISA ?

	VISA	PREMIER
FRANCE		
1 500 distributeurs Crédit Lyonnais	jusqu'à 3 000 FF/2 jours	jusqu'à 6 000 FF/2 jours
16 000 distributeurs CB	2 000 FF/7 jours	6 000 FF/7 jours
42 000 guichets de banques et poste	2 000 FF/7 jours	10 000 FF/7 jours
ETRANGER		
85 000 distributeurs VISA et 320 000 guichets banques VISA	2 000 FF/7 jours	10 000 FF/7 jours

Dans combien de commerces puis-je payer avec ma carte VISA ?

En France dans 500 000 commerces y compris les hypermarchés, les autoroutes, la vente par correspondance. Dans plus de 9 000 000 de commerces dans le monde.

EXERCICES

1 Listen to the questions and say if it is more expensive or less expensive.

exemple: Et les retraités?

répondez: C'est moins cher

a) Et les enfants? (−)

b) Et un billet familial? (−)

c) Et avec un guide? (+)

d) Et la visite du château et du parc? (−)

e) Et le mardi? (−)

f) Et le samedi? (+)

2 Use the brochure to give information on the telephone.

HEVER CASTLE AND GARDENS

HEVER, near EDENBRIDGE
KENT TN8 7NG
Tel: (0732) 865224

OPEN DAILY
16th March - 7th November 1993
Gardens open 11.00am
Castle opens 12.00 noon
Last admission 5.00pm (4.00pm Winter time)
Closes 6.00pm (5.00pm Winter time)

ADMISSION CHARGES

INDIVIDUAL RATES	Castle & Gardens	Gardens only
Adult	£5.00	£3.60
Senior Citizen	£4.50	£3.00
Child (5-16)	£2.50	£2.10
Family Ticket	£12.50	£9.30

(2 adults, 2 children (5-16), not applicable to groups)

GROUP RATES (min. 15, total charge to be paid in one amount)		
Adult	£4.40	£2.90
Student (17-19)	£3.20	£2.60
Child (5-16)	£2.30	£1.90

Children under the age of 5 are admitted free of charge.

Pre-booked private guided tours are available outside normal opening times.

Hever Castle gardens are accessible to the disabled.

New self-service restaurant close to the castle, licensed self-service restaurant close to the lake, topiary, rose and Italian gardens, children's adventure playground, maze, gift, garden and book shops.

– Allô, le château de Hever?

– (Confirm.)

– Le château est ouvert le 5 novembre?

– (Confirm.)

– Il ouvre à quelle heure s'il vous plaît?

– (Give times for castle and gardens.)

– La visite, c'est combien?

– (Ask if it is for castle **and** gardens.)

– Non, les jardins seulement.

– (Ask if it is for an adult.)

– Il y a un tarif de groupe?

– (For groups of 15 or more.)

– C'est pour un groupe de 20 enfants.

– (Of less than 16 years?)

– Oui, de 12 à 14 ans.

– (Give the price per person.)

– Il y a un restaurant?

– (Confirm, a self-service restaurant.)

– Merci beaucoup Monsieur (Madame).

SITUATION B: *l'employé à l'entrée donne des renseignements aux touristes*

VOCABULAIRE

pardon?	*excuse me?*
où sont?	*where are?*
attendez ici	*wait here*
je cherche	*I am looking for*
tout droit	*straight on*
dans cinq minutes	*in five minutes' time*
l'exposition	*the exhibition*
le train fantôme	*the ghost train*
le bâtiment d'accueil	*the reception building*

TOURISTE 1: Pardon Monsieur, où sont les toilettes s'il vous plaît?

EMPLOYÉ: Deuxième allée à droite, et c'est devant vous.

TOURISTE 1: Merci.

TOURISTE 2: Pardon, le snack bar s'il vous plaît?

EMPLOYÉ: C'est derrière le musée, troisième porte à gauche.

TOURISTE 2: D'accord, merci.

TOURISTE 3: L'autobus pour aller au zoo, s'il vous plaît?

EMPLOYÉ: Attendez ici, l'autobus arrive dans cinq minutes.

TOURISTE 3: Merci.

TOURISTE 4: Je cherche l'exposition '1999'?

EMPLOYÉ: C'est au fond du parc, à côté du restaurant.

TOURISTE 4: Merci bien Monsieur.

TOURISTE 5: Le train fantôme?

EMPLOYÉ: Tout droit devant vous!

TOURISTE 6: Où est la boutique souvenirs s'il vous plaît?

EMPLOYÉ: Dans le bâtiment d'accueil, avec les toilettes.

EXPLICATIONS

Numbers from 100

100 cent	**110** cent dix	**200** deux cents
101 cent un	**111** cent onze	**201** deux cent un
102 cent deux	**112** cent douze	**210** deux cent dix
103 cent trois	**113** cent treize	**300** trois cents
104 cent quatre	**114** cent quatorze	**1000** mille
105 cent cinq	**115** cent quinze	**1100** mille cent
106 cent six	**116** cent seize	**10 000** dix mille
107 cent sept	**117** cent dix-sept	**100 000** cent mille
108 cent huit	**118** cent dix-huit	**110 000** cent dix mille
109 cent neuf	**119** cent dix-neuf	**1 000 000** un million

Dans cinq minutes

Use dans *to say in how long something is going to happen.*

La bombe va exploser dans cinq secondes!

Chercher *(to look for)*

je cherche	*I look for*	nous cherchons	*we look for*
tu cherches	*you look for*	vous cherchez	*you look for*
il/elle cherche	*he/she looks for*	ils/elles cherchent	*they look for*

INFO!

- *Pardon*, or *excusez-moi* are two ways of saying either 'excuse me' (to attract someone's attention), or 'I am sorry' (I apologise).

  e.g. *Pardon Madame, où sont les toilettes?*

  Excusez-moi Madame, où sont les toilettes?

  but *Oh! pardon!*
  Excusez-moi!

COMPREHENSION

Signs you may see at the theme park. See if you can match the signs, the French phrases and the English phrases.

1 WC	a)	guide dogs only
2 ascenseur	b)	no entry
3 boutique	c)	toilets
4 croix rouge	d)	pay and display
5 renseignements	e)	lift
6 rafraîchissements	f)	shop
7 sauf chiens d'aveugles	g)	dogs on leash
8 chiens en laisse	h)	first aid
9 interdit au public	i)	information
10 parking payant	j)	refreshments

EXERCICES

 1 Listen to the instructions on the cassette, then fill in the blanks (in English) to complete the sentences.

a) le labyrinthe? . . . . . . the path and . . . . the bar

b) la grande roue? it is . . . . . . the shop, ... the river and the . . . . . .

c) la crêche? pass the . . . . . . , turn . . . . . . after the telephone, it is . . . . . .

d) le monorail? . . . . . . on, ... you, ... metres away.

e) l'exposition? . . . . . lane on your . . . . . ., it is . . . . . . the park

 2 Jeu de rôle: you are a steward at a Heritage Centre; help tourists in difficulty. (Refer to the map.)

a) Où est le cinéma s'il vous plaît?

b) Où est le salon de thé s'il vous plaît?

c) Où est La Tour Blanche s'il vous plaît?

d) Où est l'église s'il vous plaît?

e) Où est la sortie s'il vous plaît?

f) Où est la librairie s'il vous plaît?

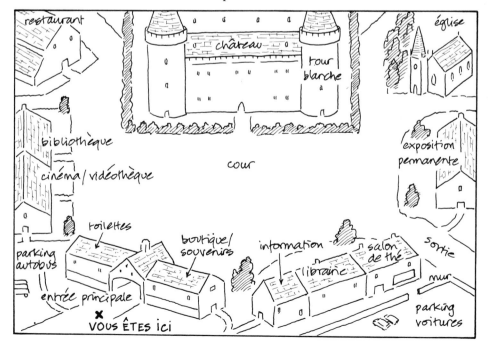

3 Now, match the English words/phrases below with the names from the map.

a) yard

b) exhibition

c) church

d) library

e) wall

f) exit

g) tower

h) bookshop

i) tea room

j) gift shop

When you have found the meaning of the French words, use a dictionary to find out if they are masculine *(le, l')*, or feminine *(la, l')*.

4 How would you say the following in French?

a) Turn left

b) It's straight on

c) In front of you

d) Behind you!

e) Wait here!

f) Next to the bar

SITUATION C: *un touriste cherche de l'assistance*

VOCABULAIRE

poste de secours	*first-aid post*
blessé(e)	*injured/wounded*
qu'est-ce qu'il y a?	*what is the matter?*
ma femme	*my wife*
grave	*serious*
assis(e)	*sitting*
le genou	*the knee*
tomber	*to fall*
marcher	*to walk*
avoir mal	*to be in pain*
tout de suite	*immediately*
un(e) infirmier(infirmière)	*a nurse*
de l'aide/de l'assistance	*help*

EMPLOYÉ: Il y a un problème? Je peux vous aider?

TOURISTE: Je cherche le poste de secours.

EMPLOYÉ: Qu'est-ce qu'il y a?

TOURISTE: Ma femme est blessée.

EMPLOYÉ: C'est grave? Où est-elle? Il faut une ambulance?

TOURISTE: Non ce n'est pas trop grave. Elle est assise là-bas. C'est son genou. Elle est tombée.

EMPLOYÉ: Elle peut marcher?

TOURISTE: Non, elle a très mal.

EMPLOYÉ: Bon, attendez là, je vais chercher de l'aide. J'arrive tout de suite avec un infirmier.

TOURISTE: Merci beaucoup.

EXPLICATIONS

---

aller *(to go/to be going to)*

je vais	*I go/I am going to*	nous allons	*we go/we are going to*
tu vas	*you go/you are going to*	vous allez	*you go/you are going to*
il/elle va	*he goes/he is going to* *she goes/she is going to*	ils/elles vont	*they go/they are going to*

Saying what is going to happen

As in English, you use 'going to' and the verb.

e.g.   I *am going to fetch* a nurse → Je *vais chercher* un infirmier

Avoir mal *(to be in pain)*

Quite a few phrases which use 'to be' in English, take avoir *(to have) in French.*
As many of these are everyday phrases, it is worth remembering a few.

il a faim   il a chaud   il a mal

il a froid   il a peur

COMPREHENSION

 ## Les parties du corps

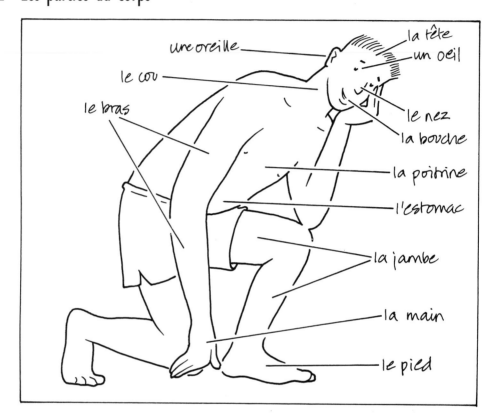

1 *Play* Jacques a dit *(Simon says), saying:*

Jacques a dit, touchez le/la . . .

or Touchez le/la . . .

2 *The parts of the body listed above are to be found in the grid below, but one has been missed out, and another one appears three times; which are they?*

J	O	R	E	I	L	L	E
A	Z	E	N	S	A	I	P
M	T	U	A	D	E	I	P
B	A	R	M	A	I	N	U
E	B	O	U	C	H	E	X
L	I	E	O	T	E	T	E
C	C	U	C	D	I	Z	F
E	N	I	R	T	I	O	P

EXERCICES

1 Listen to the cassette, and say if the statements below are *vrai* or *faux*

Vrai   Faux

a) C'est l'été, Monsieur Richard a mal

b) Madame Roland a froid aux genoux

c) Le film est horrible. Pierre a peur

d) C'est l'heure de déjeuner. Marie a faim

e) Il y a un accident grave. Le blessé a mal

2 A man has injured himself playing tennis; give him reassurance and tell him what you are going to do.

Tell him to stay there, that you are going to go to the first aid point, that you are going to look for a doctor (*un docteur*), that you are going to telephone and ask for an ambulance.

3 With a partner, play the part of the first-aider (A), or the part of the injured person (B) in the following dialogue.

A: Ask your partner if he/she is all right.
B: Tell your partner that you are hurt.
A: Ask her/him if she/he is in pain.
B: Say yes and where.
A: Ask if it is serious.
B: Say that it hurts a lot. Ask your partner to fetch help.
A: Ask if they require an ambulance.
B: Say yes, immediately, and a doctor also!

Now, listen to the model dialogue and practise your pronunciation.

Unité Sept

UNE VISITE DE LONDRES

SITUATION A: *M. Queneau téléphone à Rover Tours*

VOCABULAIRE	
je peux vous aider?	*can I help you?*
je voudrais savoir si . . .	*I'd like to know if . . .*
tous les quarts d'heure	*every quarter of an hour*
durer	*to last*
sans	*without*
environ une heure et demie	*about an hour and a half*
il y a plusieurs arrêts	*there are several stops*
descendre	*to get off*
puis	*then*
reprendre	*to take again*
le trajet	*journey*
vous devez	*you must*

EMPLOYÉE: Allô, ici Rover Tours. Je peux vous aider?

M. QUENEAU: Bonjour Madame. Je voudrais savoir si vous avez des tours de Londres en autobus.

EMPLOYÉE: Bien sûr Monsieur. Il y a des bus tous les quarts d'heure.

M. QUENEAU: Et ça dure combien de temps?

EMPLOYÉE: Ça dépend. Le tour sans arrêt dure environ une heure et demie. Mais il y a plusieurs arrêts où vous pouvez descendre. Puis vous pouvez reprendre le bus au même arrêt pour continuer le trajet.

M. QUENEAU: Très bien. Et c'est combien?

EMPLOYÉE: Six livres pour les adultes et quatre livres cinquante pour les enfants. Vous devez acheter les billets en avance.

M. QUENEAU: Merci Madame, vous êtes très aimable.

EMPLOYÉE: De rien Monsieur. Au revoir.

EXPLICATIONS

Prendre *(to take)*

je prends	*I take*	nous prenons	*we take*
tu prends	*you take*	vous prenez	*you take*
il/elle prend	*he/she takes*	ils/elles prennent	*they take*

Note: French, like English, can sometimes form new verbs by putting re *in front of other verbs.*

e.g.	prendre	*to take*	**re**prendre	*to take again*
	demander	*to ask*	**re**demander	*to ask again*

Descendre *(to get off, to go down)*

je descends	*I get off*	nous descendons	*we get off*
tu descends	*you get off*	vous descendez	*you get off*
il/elle descend	*he/she gets off*	ils/elles descendent	*they get off*

Impersonal phrases with ça

ça dépend	*that depends*
ça fait	*that comes to (with prices)*
ça dure	*that lasts*

INFO!

- Continental visitors don't always understand the concept of the queue. They often remark on the courtesy of the British who wait politely, but don't always imitate them!
- Double-decker buses (*un autobus à l'impériale*) are a rarity abroad and are quite a novelty to foreign visitors.
- Remember that continental visitors (especially youngsters) can forget that we drive on the left and may even wait for a bus on the wrong side of the road.

COMPREHENSION

1 *Look at the brochure for the proposed excursion to London. Write down in English five attractions listed.*

LONDRES

Traversée Aller / Retour en bateau sur la ligne BOULOGNE-DOUVRES.

Circuit panoramique guidé de la surprenante Capitale Anglaise qui vous permettra de découvrir LE PALAIS DE BUCKINGHAM, la TOUR DE LONDRES, l'ABBAYE DE WESTMINSTER, la CATHÉDRALE SAINT-PAUL, PICCADILLY ...)

DÉPARTS : Juin : 7 et 24
Juillet : 9, 14, 16, 21, 23, 28, 30
Août : 4, 6, 11, 13, 15, 18, 20, 22, 25, 27, 29
Septembre : 3

PRIX par personne (car, bateau, guide) :
Adulte : **295 F.** - Enfant : **280 F.** - Supplément repas : **80 F.**

Carte d'identité obligatoire

---

2 *Look at the timetable below and answer the following questions.*

a) Where does the route start and finish?

b) At what time is the first bus to La Capelle?

c) At what time is the last bus from La Capelle?

d) Where can you get more information?

CARS SERGENT EXCURSIONS

21.83.32.09

62360 LA CAPELLE

Ligne BOULOGNE-AUCHAN-LA CAPELLE
• DÉPART SEMAINE •

DE BOULOGNE		DE LA CAPELLE	
7H. 40	-	7H. 15	-
8H. 40	•	8H. 10	•
12H. 00	•	10H. 10	•
14H. 00	•	13H. 30	•
15H. 00	•	14H. 30	•
16H. 15	•	15H. 45	•
17H. 15	-	16H. 45	•
18H. 10	-	17H. 45	•
19H. 20	-	19H. 00	•

• Passage du Car dans le Parking d'AUCHAN avec arrêt face au Magasin Global.
- Arrêt sur la Nationale.

---

3 *Change these sentences from* pouvoir *to* devoir.

e.g. Je *peux* aller au cinéma → Je *dois* aller au cinéma

a) Tu peux acheter les billets en avance

b) Il peut reprendre le bus à onze heures

c) Ils peuvent téléphoner à Rover Tours

d) Vous pouvez continuer le trajet

e) Je peux descendre à plusieurs arrêts

f) Nous pouvons faire le tour sans arrêt

EXERCICES

1 Jeu de rôle: use the information below and overleaf to help you reply to a customer's questions. (You are in Paris and it is Tuesday.)

INDEX DES GARES ET PRIX DES BILLETS AU 22 AVRIL 91

RELATIONS AU DEPART DE PARIS		PRIX DU BILLET* Plein tarif Trajet simple	
		1' classe	2' classe
Abbeville	P.14 à 17	156F	104F
Albert	P. 6 à 9	144F	96F
Amiens	P. 6 à 9	120F	80F
Arras	P. 6 à 9	171F	114F
Aulnoye	P.18 à 21	185F	123F
Berguette Isbergues	P.10 à 13	216F	144F
Bethune	P.10 à 13	201F	134F
Boulogne - Ville	P.14 à 17	216F	144F
Bruxelles	P.22 à 23	294F	196F
Calais - Ville	P.14 à 17	242F	162F
Cambrai Via Douai	P. 6 à 9	216F	144F
Creil	P. 6 à 9	58F	39F
Croix-Wasquehal	P. 6 à 9	224F	149F
Douai	P. 6 à 9	193F	129F
Dunkerque	P.10 à 13	254F	169F
Etaples-le-Touquet	P.14 à 17	193F	129F
Hazebrouck via Arras	P.10 à 13	231F	154F
Lens	P.10 à 13	185F	123F
Lille	P. 6 à 9	216F	144F
Lillers	P.10 à 13	216F	144F
Longeau	P.10 à 13	116F	78F
Mauberge	P.18 à 21	193F	129F
Marquise-Rinxent	P.14 à 17	231F	154F
Mons via Query	P.22 à 23	224F	149F
Noyelles	P.14 à 17	163F	109F
Rang du Fliers	P.14 à 17	185F	123F
Roubaix	P. 6 à 9	224F	149F
Rue	P.14 à 17	171F	114F
St-Quentin	P.18 à 21	136F	91F
Tourcoing	P. 6 à 9	231F	154F
Valenciennes	P.18 à 2	216F	144F
Wimille-Wimereux	P.14 à 17	224F	149F

– *(The phone rings. Greet the customer.)*

– Je voudrais savoir à quelle heure partent les trains pour Maubeuge demain?

– *(Morning or afternoon?)*

– Le matin vers dix heures.

– *(Give the appropriate information.)*

– Et à quelle heure le train arrive à Maubeuge?

– *(Reply appropriately.)*

– Il y a un restaurant?

– *(Reply appropriately.)*

– Et c'est combien, un aller simple?

– *(Reply appropriately.)*

– Merci, vous êtes très aimable.

– *(Bid farewell.)*

Now listen to the model dialogue and practise your pronunciation.

PARIS ➡ ST-QUENTIN ➡ MAUBERGE

| ☐ 1 Sans supplément | | ☐ Train ne circulant pas ce jour-là |

	No. de train		45	281	283	12321	239
HORAIRES	Particularités						
	Restauration		⬛️🍴	🍾🥂	🍾🥂 ⬛️🍴		🍾🥂
	PARIS-GARE DU NORD	D	7.27	7.46	10.19	12.12	13.41
	ST-QUENTIN	A	8.43	9.09	11.37	13.57	15.01
	Aulnoye	A		9.42	12.08	14.49	15.35
	MAUBERGE	A	9.20		*c12.36*	15.05	
	A destination de		Köln	Amst.	Amst.		Köln
SEMAINE TYPE	**Lundi**		1	1	1	1	1
	Mardi à jeudi		1	1	1	1	1
	Vendredi		1	1	1	1	1
	Samedi		1	1	1	1	1
	Dimanche		1	1	1	1	1

A Arrivé **D** Départ **C** Correspondance à Aulnoye.

(1) - Les vendredis, dimanches et les **31 octobre**, **30 avril**, **7 et 27 mai** ce train part de Paris Nord à 19 h 38 et ne dessert pas St-Quentin.
- Les **1er** et **10 novembre**, **19 avril**, **1er** et **8 mai**, ce train part à 19 h 27 et dessert St-Quentin.
- Ne circule pas le 29 mai

(2) Correspondance assuré sauf samedis, dimanches et fêtes.

(3) Sauf les **1er** et **10 novembre**, **19 avril**, **1er**, **8 et 29 mai**.
- Circule les **31 octobre, 30 avril, 7 et 27 mai**.

(4) Sauf fêtes.

🍾🥂 Service mini-bar
⬛️🍴 Voiture restaurant

---

2 Listen to the phrases on the tape and complete the grid below with the missing words. When you have finished, another word will appear in the shaded area.

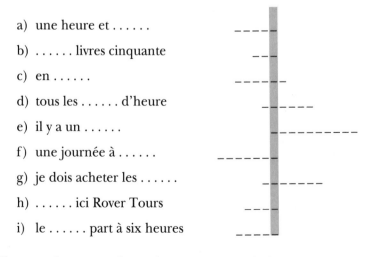

a) une heure et . . . . . .   _ _ _ _ |

b) . . . . . . livres cinquante   _ _ |

c) en . . . . . .   _ _ _ _ |

d) tous les . . . . . . d'heure   _ | _ _ _ _

e) il y a un . . . . . . | _ _ _ _ _ _ _

f) une journée à . . . . . .   _ _ _ _ _ |

g) je dois acheter les . . . . . .   _ _ _ | _

h) . . . . . . ici Rover Tours   _ _ |

i) le . . . . . . part à six heures   _ _ _ |

Now listen to the tape and practise your pronunciation.

SITUATION B: *un groupe de touristes belges prend un bateau sur la Tamise*

VOCABULAIRE

un bateau	*a boat*
un aller simple	*a single ticket*
un aller-retour	*a return ticket*
payer	*to pay*
une réduction de dix pour cent	*a ten per cent reduction*
vous voulez bien . . .	*would you mind . . .*
le reçu	*the receipt*
prochain	*next*
partir	*to leave*
veuillez passer sur le quai	*please go to the quay*

TOURISTE: Bonjour Madame. Il faut prendre le bateau pour Greenwich ici?

EMPLOYÉE: C'est ça, Monsieur. Vous êtes combien?

TOURISTE: Nous sommes vingt adultes et treize enfants.

EMPLOYÉE: Aller simple ou aller-retour?

TOURISTE: Aller-retour s'il vous plaît.

EMPLOYÉE: Alors c'est cinq livres cinquante pour les adultes, et deux livres soixante-quinze pour les enfants.

TOURISTE: Il faut payer pour le bébé?

EMPLOYÉE: Non, c'est gratuit pour les enfants s'ils ont moins de cinq ans. Vous avez aussi une réduction de dix pour cent. C'est le tarif de groupe.

TOURISTE: Je peux payer par Eurochèque?

EMPLOYÉE: Bien sûr Monsieur. Vous voulez bien signer ici. Merci, et voilà votre reçu. Le prochain bateau part dans deux minutes. Veuillez passer sur le quai.

EXPLICATIONS

Polite requests

There are two ways of making polite requests i.e. vous voulez bien signer ici *or* veuillez signer ici, *which both mean 'please sign here'.*

Veuillez passer sur le quai

Partir *(to leave)*

je pars	*I leave*	nous partons	*we leave*
tu pars	*you leave*	vous partez	*you leave*
il/elle part	*he/she leaves*	ils/elles partent	*they leave*

Payer *(to pay)*

je paie	*I pay*	nous payons	*we pay*
tu paies	*you pay*	vous payez	*you pay*
il/elle paie	*he/she pays*	ils/elles paient	*they pay*

More phrases using avoir

Apart from the phrases seen in the previous unit, you also use avoir *to give people's ages.*

e.g.   Nous **avons** dix-neuf ans   *we **are** nineteen years old*

       Il **a** cinq ans?   ***Is** he five years old?*

Also: avoir raison   *to be right*

           avoir tort   *to be wrong*

           avoir de la chance   *to be lucky*

           avoir soif   *to be thirsty*

COMPREHENSION

1 *Look at the advertisement below and answer the following questions.*

a) Between which dates is the offer available?
b) How much does it cost?
c) What does the price not include?
d) How long can you go for?
e) How can you book?

BOULOGNE - FOLKESTONE

aller/retour par personnes pour la journée (sans voiture)

50ᶠ

Appelez vite

HOVERSPEED - BOULOGNE
Tél.: 21.30.27.26

Offre exceptionelle
du 11 Avril au 30 Juin 92

HOVER*SPEED*

2 *Look at the pictures below and match them with the appropriate phrases.*

a) nous avons soif
b) elle a cinq ans
c) j'ai raison
d) vous avez faim
e) elles ont froid
f) il a de la chance
g) tu as tort
h) ils ont chaud

i GRATUIT - Voyage en Grèce

ii 50 40 30 20 10 0

iii 10 - 3 = 8 ✗

iv (cake with five candles)

v (glass)

vi 50 40 30 20 10 0

vii 2 × 2 = 4 ✓

viii (sandwich)

EXERCICES

1 Using the following information to help you, answer the customer's questions. (It is 12.30 on Sunday July 30th.)

– Bonjour. A quelle heure part le prochain bateau?

– Combien de temps dure l'excursion?

– Vous avez d'autres excursions aujourd'hui?

– Et les autres jours de la semaine?

– Vous avez des tarifs réduits?

– Il faut réserver?

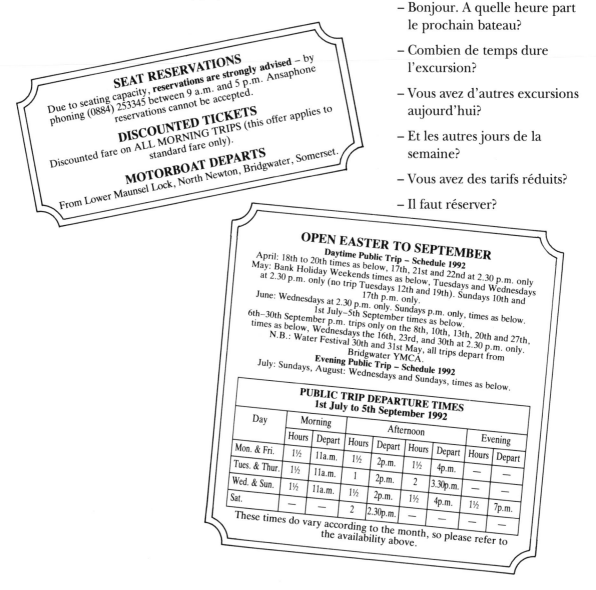

SEAT RESERVATIONS

Due to seating capacity, **reservations are strongly advised** – by phoning (0884) 253345 between 9 a.m. and 5 p.m. Ansaphone reservations cannot be accepted.

DISCOUNTED TICKETS

Discounted fare on ALL MORNING TRIPS (this offer applies to standard fare only).

MOTORBOAT DEPARTS

From Lower Maunsel Lock, North Newton, Bridgwater, Somerset.

OPEN EASTER TO SEPTEMBER

Daytime Public Trip – Schedule 1992

April: 18th to 20th times as below, 17th, 21st and 22nd at 2.30 p.m. only
May: Bank Holiday Weekends times as below, Tuesdays and Wednesdays at 2.30 p.m. only (no trip Tuesdays 12th and 19th). Sundays 10th and 17th p.m. only.
June: Wednesdays at 2.30 p.m. only. Sundays p.m. only, times as below.
1st July–5th September p.m. trips only on the 8th, 10th, 13th, 20th and 27th, times as below.
6th–30th September p.m. trips only on the 8th, 10th, 13th, 20th and 27th, times as below, Wednesdays the 16th, 23rd, and 30th at 2.30 p.m. only.
N.B.: Water Festival 30th and 31st May, all trips depart from Bridgwater YMCA.

Evening Public Trip – Schedule 1992

July: Sundays, August: Wednesdays and Sundays, times as below.

PUBLIC TRIP DEPARTURE TIMES
1st July to 5th September 1992

Day	Morning		Afternoon				Evening	
	Hours	Depart	Hours	Depart	Hours	Depart	Hours	Depart
Mon. & Fri.	1½	11a.m.	1½	2p.m.	1½	4p.m.	–	–
Tues. & Thur.	1½	11a.m.	1	2p.m.	1½	4p.m.	–	–
Wed. & Sun.	1½	11a.m.	1½	2p.m.	2	3.30p.m.	–	–
Sat.	–	–	2	2.30p.m.	1½	4p.m.	1½	7p.m.

These times do vary according to the month, so please refer to the availability above.

Now listen to the model dialogue on the tape and practise your pronunciation.

2 Listen to the following orders and change them into polite requests. Write your answers down, then check your answers and practise your pronunciation using the tape.

e.g.　signez le reçu!　→　voulez vous bien signer le reçu
veuillez . . .

SITUATION C: *Mme Delbecque achète des souvenirs au Musée des Beaux-Arts*

VOCABULAIRE

un vendeur/une vendeuse	*sales assistant*
vous avez quelles tailles?	*what sizes do you have?*
moyen	*medium*
une carte postale	*postcard*
ce n'est pas grave	*it doesn't matter*
un paquet de diapositives	*a packet of slides*
une pellicule . . .	*a film (for a camera)*
. . . de 24 ou 36 poses	*24 or 36 exposures*
j'en prends deux moyens	*I'll take two medium ones*

MME DELBECQUE: Excusez-moi Monsieur, combien coûtent les T-shirts?

VENDEUR: Neuf livres quatre-vingt-dix-neuf, Madame.

MME DELBECQUE: Et vous avez quelles tailles?

VENDEUR: Pour les adultes, petit, moyen et grand. Nous avons aussi des tailles pour les enfants.

MME DELBECQUE: Alors, j'en prends deux, un grand et un moyen. Je prends aussi trois cartes postales.

VENDEUR: Je suis désolée Madame, il n'y a plus de grande taille.

MME DELBECQUE: Ce n'est pas grave, j'en prends deux moyens. Je voudrais aussi un paquet de diapositives et une pellicule.

VENDEUR: Bien sûr Madame. Vingt-quatre ou trente-six poses?

MME DELBECQUE: Une pellicule de trente-six poses, s'il vous plaît. Combien ça fait en tout?

VENDEUR: Ça fait trente livres vingt en tout Madame.

MME DELBECQUE: Voilà ma carte bleue.

VENDEUR: Merci Madame.

EXPLICATIONS

Ne . . . plus *(no more)*

You are already familiar with ne . . . pas *to mean 'not'; simply replace the* pas *with* plus *to mean 'no more' or 'no longer'.*

e.g.	Il **n'y** a **pas** de T-shirts	*There are **no** T-shirts*
	Il **n'y** a **plus** de T-shirts	*There are **no longer** any T-shirts*

Remember that after a negative, du, de la, de l' *and* des *become* de *or* d'. *(See Unit 3.)*

e.g.   il y a **des** cartes postales   il n'y a plus **de** cartes postales

il n'y a plus d'argent!

Quantities

As you know, expressions of quantity are followed by de *in French (see Unit 3).*

e.g.   un paquet **de** diapositives

However, sometimes the expression of quantity is not obvious to English speakers.

e.g.   une pellicule **de** trente-six poses

In this case pellicule *represents the total quantity of exposures.*

En *(of it, of them)*

En *is used to avoid repetition of quantities.*

e.g.   Il y a des T-shirts?   J'**en** prends deux

In this example, en *replaces 'T-shirts'.*
Note that en *is positioned immediately in front of the verb.*

Combien de cartes postales avez-vous?

J'**en** ai trois.

INFO!

- When buying gifts, continental visitors may express some surprise at receiving their purchases in a paper bag. They are used to having their presents gift-wrapped (*un paquet cadeau*) by the sales assistant. They may ask for this service.

COMPREHENSION

1 *Look at the following advertisement and answer the questions below.*

   a) On what days is the museum open?

   b) How much would 3 T-shirts cost?

   c) What is the price of a postcard?

   d) How much would 2 large posters and a 36 exposure film cost?

   e) At what times is the museum open?

   f) How much would 3 sets of slides cost?

Musée des Beaux Arts ·

Exposition permanente l'après-midi de 15h à 19h sauf le lundi

PRIX		
POSTERS	*grand*	50F
	petit	30F
T-SHIRT		125F
CARTE POSTALE		6F
PELLICULE	*(36 poses)*	62F
	(24 poses)	49F
DIAPOSITIVES		95F

---

2 *Answer the following questions using* en *to replace the words in bold.*

e.g.   Pierre a combien **de billets**?   Pierre **en** a six.

   a) Vous avez combien **de posters**? (4)

   b) Il a combien **de T-shirts**? (1)

   c) Madame Delbecque a combien **de cartes postales**? (3)

   d) Elles ont combien **de pellicules**? (1)

   e) Ils ont combien **de diapositives**? (2 paquets)

EXERCICES

1 Listen to the following sentences, and complete the blanks with the missing word. Use the words below to help you.

a) un . . . . . . de diapositives

b) une . . . . . . d'allumettes

c) une . . . . . . de 24 poses

d) deux . . . . . . de diapositives

e) . . . . . . de T-shirts

pellicule   paquets   paquet   beaucoup   boîte

Now listen to the tape again and check your pronunciation.

2 Jeu de rôle: use the prompts below to complete the conversation with your customer. (Use the price list on p.91 to calculate the cost.)

– Je voudrais trois T-shirts petits et deux moyens s'il vous plaît.

– *(Apologise. There are no small T-shirts left.)*

– Alors j'en prends cinq moyens. Vous avez des cartes postales?

– *(Say yes and give the price.)*

– J'en prends sept alors. Vous avez des timbres?

– *(No. It's necessary to go to the Post Office.)*

– Combien coûte un paquet de diapositives?

– *(Give the price.)*

– J'en prends un alors. Ça fait combien en tout?

– *(Give the total cost of the purchases.)*

Now listen to the model dialogue and practise your pronunciation.

3 Listen to the following sentences and tick the *pas* or the *plus* column, depending on what you hear.

	Pas	Plus
a) Il n'a . . . . . . de brochures		
b) Vous n'avez . . . . . . de pellicules		
c) Elles n'ont . . . . . . de posters		
d) Je n'ai . . . . . . de T-shirts		
e) Nous n'avons . . . . . . de diapositives		

Unité Huit

AU CENTRE SPORTIF

SITUATION A: *un client téléphone pour demander la direction du centre sportif*

VOCABULAIRE

libre	*free/available*
demain matin	*tomorrow morning*
après-demain	*the day after tomorrow*
un panneau marron	*a brown sign*
en voiture, en train, à pied	*by car, by train, on foot*
la gare	*the station*
traverser le pont	*to cross the bridge*
au bord de	*on the edge of*
c'est à 300 mètres/ 5 minutes	*it's 300 m/5 minutes away*

CLIENT: Allô, le Sunnybeach Sports Club?

EMPLOYÉE: Oui, bonjour Monsieur.

CLIENT: Je voudrais réserver un court de tennis. Il y a des courts libres demain matin?

EMPLOYÉE: Non, je suis désolée, après-demain soir à dix-neuf heures?

CLIENT: Oui, ça va, et pour arriver au club s'il vous plaît?

EMPLOYÉE: En voiture, vous suivez la A380 en direction de Torquay, et il y a un panneau marron . . .

CLIENT: Je suis en train.

EMPLOYÉE: Alors, de la gare, vous traversez le Pont Neuf, et le club est sur l'Esplanade, au bord de la plage, à côté du théâtre et du casino.

CLIENT: C'est loin?

EMPLOYÉE: Non, c'est à trois cents mètres, c'est à cinq minutes à pied.

CLIENT: Bien, merci Madame.

EXPLICATIONS

Hier, aujourd'hui et demain

	lundi 29 juin	mardi 30 juin	mercredi 1er juillet	jeudi 2 juillet
	hier	aujourd'hui	demain	après demain
7h	matin	ce matin	matin	matin
12h	midi	ce midi	midi	midi
15h	après-midi	cet après-midi	après-midi	après-midi
21h	soir	ce soir	soir	soir

Expressing distances in measurements or times

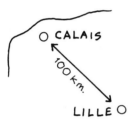

c'est à 100 km

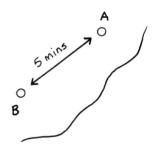

c'est à 5 minutes

Saying where things are

au bord de la rivière

en direction de Blackpool

INFO!

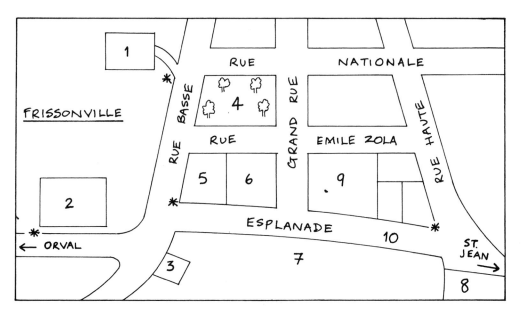

2 golfs 18 trous – 4 courts de squash – salle de gymnastique – piscine couverte – solarium – sauna – bain thermal – bain turc – 2 courts de tennis – 1 terrain de badminton – 3 tables de billard anglais – aire de jeux – salon de beauté

COMPREHENSION

Look at the map of Frissonville *and check if the information below matches it.*

∗arrêts d'autobus   1 gare   2 centre commercial Le Moulin   3 centre Aquasport   4 parc Laverdure   5 théâtre   6 casino   7 plage   8 port de plaisance   9 Grand Hôtel   10 esplanade

a) Le centre Aquasport est au bord de la plage.

b) Il est à côté du centre commercial.

c) De la gare, vous tournez à gauche.

d) Il y a un arrêt d'autobus devant le centre Aquasport.

e) Le centre est derrière le parc Laverdure.

f) De la gare, vous traversez le pont pour aller au centre.

g) Le centre est sur l'esplanade.

EXERCICES

 1 Listen to the directions given, and check if they are correct on the two maps.

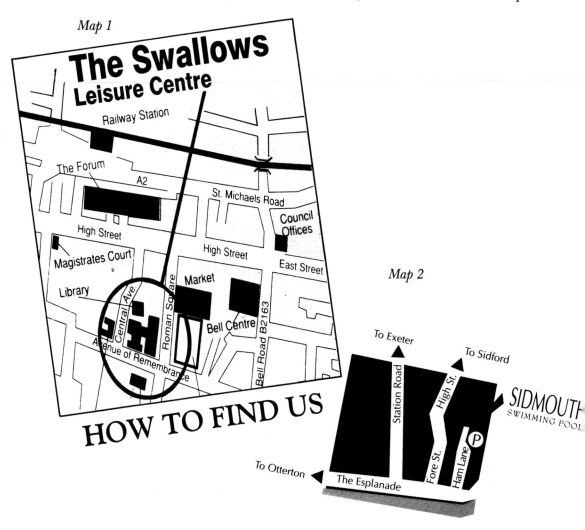

Map 1

The Swallows
Leisure Centre

Railway Station

The Forum

A2

St. Michaels Road

Council Offices

High Street

High Street

East Street

Magistrates Court

Library

Central Ave

Roman Square

Market

Bell Centre

Bell Road B2163

Avenue of Remembrance

Map 2

To Exeter

To Sidford

Station Road

High St.

Fore St.

Ham Lane

P

SIDMOUTH
SWIMMING POOL

To Otterton

The Esplanade

HOW TO FIND US

 2 Say when this tourist is going to do the following things:

e.g.   Il va au théâtre ce soir? (demain)   Non, il va aller au théâtre demain.

a) Il va au restaurant demain? (aujourd'hui)

b) Il prend le train aujourd'hui? (après-demain)

c) Il visite le château demain après-midi? (demain matin)

d) Elle achète des souvenirs ce matin? (cet après-midi)

e) Elle arrive aujourd'hui? (demain)

3 Jeu de rôle: a) Prepare questions in French based on the answers from the brochure.

b) With a partner, ask questions/give answers about how to get to the Larkfield Leisure Centre.

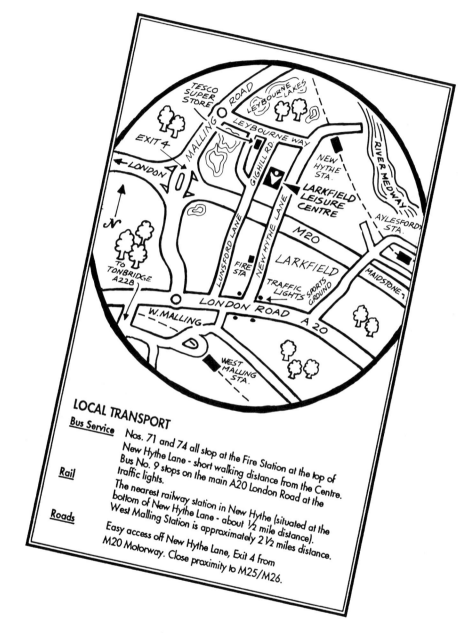

LOCAL TRANSPORT

Bus Service   Nos. 71 and 74 all stop at the Fire Station at the top of New Hythe Lane - short walking distance from the Centre. Bus No. 9 stops on the main A20 London Road at the traffic lights.

Rail   The nearest railway station in New Hythe (situated at the bottom of New Hythe Lane - about ½ mile distance). West Malling Station is approximately 2½ miles distance.

Roads   Easy access off New Hythe Lane, Exit 4 from M20 Motorway. Close proximity to M25/M26.

SITUATION B: *à la piscine; l'arrivée d'un groupe de jeunes Français*

VOCABULAIRE

par ici	*this way/through there*
enlevez vos chaussures	*take off your shoes*
on appelle la couleur	*the colour is called*
toutes les demi-heures	*every half-hour*
les vestiaires	*dressing rooms*
mettez vos vêtements	*put your clothes*
un casier	*a locker*
perdre	*to lose*
ne poussez pas	*don't push*
attention, un à la fois	*be careful, one at a time*
plonger ou sauter	*to dive or to jump*
une vague	*a wave*

CONTRÔLEUR: Vos billets s'il vous plaît, passez par ici. Voilà vos bracelets, enlevez vos chaussures ici s'il vous plaît.

FILLE: C'est pourquoi, les bracelets?

CONTRÔLEUR: Vous devez sortir quand on appelle la couleur de votre bracelet. On appelle toutes les demi-heures.

FILLE: Où sont les vestiaires?

CONTRÔLEUR: Filles par ici, garçons par là. Mettez vos vêtements dans les casiers.

FILLE: C'est combien?

CONTRÔLEUR: Cinquante pence. Ne perdez pas votre clé. Attention, ne poussez pas s'il vous plaît. Un à la fois, allez, passez!

FILLE: On peut plonger ou sauter?

CONTRÔLEUR: Oui, dans le bassin spécial. Et attention, il y a des vagues toutes les vingt minutes.

EXPLICATIONS

Mettre

je mets	*I put*	nous mettons	*we put*
tu mets	*you put*	vous mettez	*you put*
il/elle met	*he/she puts*	ils/elles mettent*	*they put*

* Remember that the ent *at the end of the verb is not pronounced.*

How to say 'every so often'

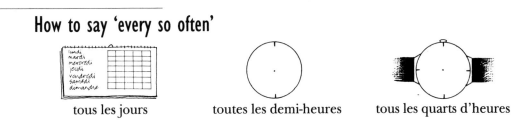

tous les jours   toutes les demi-heures   tous les quarts d'heures

Note: tous *is used if the word following is masculine (e.g.* jours*) and the 's' is not pronounced.* Toutes *is used before a feminine word (e.g.* minutes*), and you hear the final 't'.*

Telling someone not to do something

Use the ez *form of the verb:* Ne verb + ez pas!

Note: un, une *or* des *become* de *in such negative sentences.*

Ne perdez pas la tête!

Ne portez pas de chaussures!

How to warn someone of danger

 Attention!

 Danger!

INFO!

- Coloured armbands used in British swimming pools at peak times to avoid overcrowded conditions may not be familiar to continental children. They will not understand the announcements to leave the pool either, so a translated notice in the changing rooms explaining the system, and the use of visual or other non-verbal calls would be useful if pools are used by many foreign visitors.

COMPREHENSION

Study the following notices seen around leisure centres, and decide if the following actions are allowed, requested or banned. Match the signs with the actions.

 jetez vos déchets dans les poubelles s'il vous plaît

 ne pas emporter les clés des casiers

 interdit de fumer

 veuillez enlever vos chaussures ici

 casques obligatoires

 gardez vos billets

 utilisez la douche

 eau peu profonde - plongée interdite

pour votre sécurité enfermez tous vos biens personnels

les enfants de treize ans non accompagnés ne sont pas admis au bar

a) wear a helmet

b) lock away personal belongings

c) take shoes off

d) keep tickets

e) take locker keys away

f) smoking

g) if accompanied by an adult, a 13 year old can go into the bar

h) put litter in bins

i) use shower

j) diving

EXERCICES

1 Tell French children not to do the following.

    a) acheter des cigarettes   b) tourner à gauche

    c) sauter dans la piscine   d) porter des chaussures

    e) mettre un casque   f) pousser

2 Jeu de rôle: help this French family using your local leisure centre.

– *(Ask if they want tickets for the swimming-pool.)*

– Oui, deux adultes et deux enfants. Il y a un endroit pour changer les bébés?

– *(Yes, and there are changing rooms for families also.)*

– Il faut de la monnaie pour les casiers?

– *(Yes, 50 pence.)*

– Et il y a des vagues?

– *(Yes, every ten minutes.)*

– Et il y a un bassin pour les petits?

– *(Yes, there is a children's pool.)*

– Je voudrais aussi réserver un court de squash ce soir, c'est possible?

– *(Yes, you can reserve courts every hour.)*

– Et il y a un court libre à 19 heures?

– *(No, not at 19.00, but at 19.30, yes.)*

– Très bien, alors je réserve pour 19h 30.

3 Listen to the instructions on the cassette and tick the sentences which match what you hear.

a) Mettez vos chaussures dans les casiers!   b) N'utilisez pas les douches!

c) Portez votre billet toute la journée!   d) Parlez français!

e) Entrez par la porte principale!   f) N'emportez pas les billets!

g) Ne jetez pas de papiers dans les poubelles   h) Payez à la caisse!

SITUATION C: *annonces au haut-parleur à la piscine*

VOCABULAIRE

un haut-parleur	*a loudspeaker*
je ne comprends pas	*I do not understand*
un nageur	*a swimmer*
le bord	*the edge*
un maître-nageur	*a lifeguard*
tout le monde	*everybody*
dehors	*outside*
comme vous êtes	*as you are*
immédiatement	*immediately*
une couverture thermique	*a space blanket*
l'entrée principale	*the main entrance*

(Après une annonce)

NAGEUR: Pardon? qu'est-ce que c'est? Je ne comprends pas . . .

MAÎTRE-NAGEUR: On appelle les nageurs avec des bracelets jaunes. Ils doivent sortir maintenant. Et on annonce aussi les vagues. Veuillez quitter le bord du tobogan. Les nageurs inexpérimentés doivent aller près du bord de la piscine.

(Alarme et annonce)

NAGEUR: Qu'est-ce qu'il y a, tout le monde sort?

MAÎTRE-NAGEUR: Oui, c'est une alerte à la bombe, suivez tout le monde dehors.

NAGEUR: Je peux aller aux vestiaires?

MAÎTRE-NAGEUR: Non, sortez tout de suite, comme vous êtes.

NAGEUR: Mais, j'ai froid . . .

MAÎTRE-NAGEUR: Voilà une couverture thermique, il faut sortir immédiatement. Attendez devant l'entrée principale.

EXPLICATIONS

Use of on

The word on *is often used in French. It means 'one' (anyone) or 'we'. It is also used, as in this unit, for announcements referring to the general public.*

On rappelle aux voyageurs qu'il est interdit de descendre avant l'arrêt du train
Travellers are reminded not to get off the train until it has completely stopped

Comprendre *(to understand)*

je comprends	*I understand*	nous comprenons	*we understand*
tu comprends	*you understand*	vous comprenez	*you understand*
il/elle comprend	*he/she understands*	ils/elles comprennent	*they understand*

Sortir *(to go out)*

je sors	*I go out*	nous sortons	*we go out*
tu sors	*you go out*	vous sortez	*you go out*
il/elle sort	*he/she goes out*	ils/elles sortent	*they go out*

Adjectives

These must match the word which they describe, so, if the word is feminine (la/une), *the adjective to describe the object or person ends with an 'e'. If the word is in the plural* (les/ des), *the adjective takes an 's'.*

un café chaud   une soupe chaude   des haricots chauds   des frites chaudes

Note: adjectives already ending with 'e' or 's' do not take feminine or plural endings (e.g. jaune, thermique).

COMPREHENSION

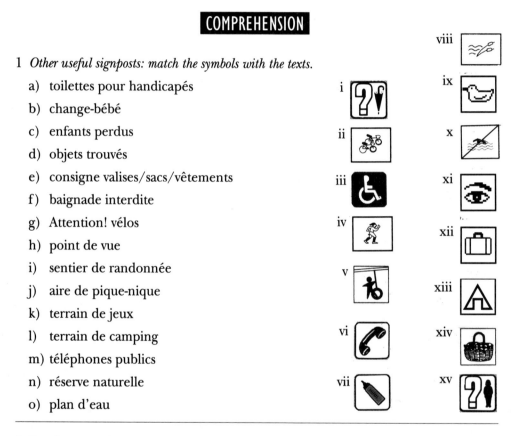

1 *Other useful signposts: match the symbols with the texts.*

a) toilettes pour handicapés

b) change-bébé

c) enfants perdus

d) objets trouvés

e) consigne valises/sacs/vêtements

f) baignade interdite

g) Attention! vélos

h) point de vue

i) sentier de randonnée

j) aire de pique-nique

k) terrain de jeux

l) terrain de camping

m) téléphones publics

n) réserve naturelle

o) plan d'eau

2 *Put the correct form of the adjective in the description below. Beware of words in the plural, as the article* des *does not tell you if the word is* un *or* une*; you can use a dictionary to check!*

a) Une voiture (bleu) . . . . .

b) Des (petit) . . . . . raquettes

c) Un (grand) . . . . . garçon

d) Un café (noir) . . . . .

e) Des hôtels (blanc) . . . . .

f) Un (bon) . . . . . restaurant

g) Des serveuses (inexpérimenté) . . . . .

h) Une personne (perdu) . . . . .

i) Des souvenirs (cher) . . . . .

j) Une réservation (important) . . . . .

EXERCICES

1 Study the information about the Bagatelle amusement park, and answer the following questions in French:

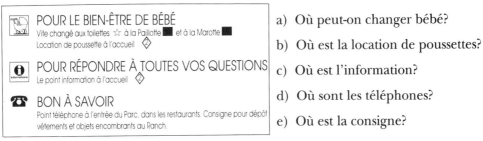

POUR LE BIEN-ÊTRE DE BÉBÉ
Vite changé aux toilettes ☆ à la Paillotte ■ et à la Marotte ■
Location de poussette à l'accueil ◇

POUR RÉPONDRE À TOUTES VOS QUESTIONS
Le point information à l'accueil ◇

BON À SAVOIR
Point téléphone à l'entrée du Parc, dans les restaurants. Consigne pour dépôt vêtements et objets encombrants au Ranch.

a) Où peut-on changer bébé?

b) Où est la location de poussettes?

c) Où est l'information?

d) Où sont les téléphones?

e) Où est la consigne?

2 Jeu de rôle: use this map of Thorpe Park. Work in pairs; one asking questions on the location or availability of facilities or attractions, the other giving simple but clear answers.

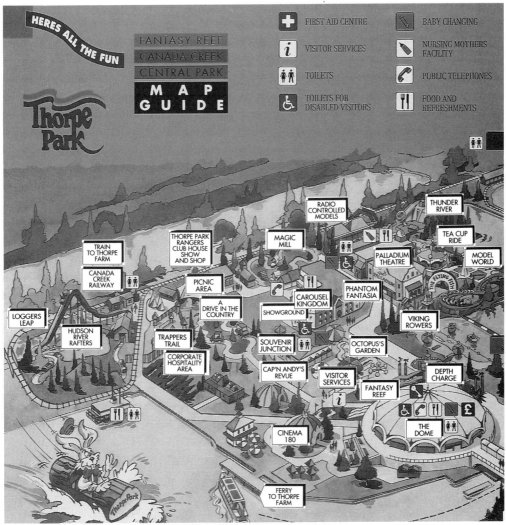

3 Listen to the names of signposts called on the cassette, and match them with the symbols below.

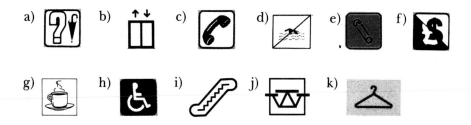

4 Vocabulary search: look up the French words for some of the attractions offered.

a) river   b) island   c) garden   d) rower

e) farm   f) ride   g) model (radio   h) train
                                   controlled)

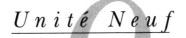

Unité Neuf

AU MUSEE DU HOUBLON

SITUATION A: *un touriste français réserve des billets pour un concert par téléphone*

VOCABULAIRE

cet été	*this summer*
en plein air	*open air*
d'autres concerts	*other concerts*
la place debout	*a ticket for standing only*
la place assise	*a ticket for a seat*
je vous envoie cela	*I'll send you that*
vous êtes très aimable	*you're very kind*

TOURISTE: Allô?

RÉCEPTION: Bonjour, Monsieur. Je peux vous aider?

TOURISTE: Oui, Mademoiselle. Il y a un concert de musique classique cet été en plein air?

RÉCEPTION: Oui, Monsieur, le 25 juillet.

TOURISTE: A quelle heure?

RÉCEPTION: A sept heures, Monsieur.

TOURISTE: Très bien. Et il y a d'autres concerts?

RÉCEPTION: Oui, Monsieur. Il y a un concert de jazz, le 24 juillet.

TOURISTE: C'est combien, les places?

RÉCEPTION: Pour le concert de musique classique, les places coûtent douze livres ou dix livres, pour le concert du 24 juillet, dix livres ou huit livres.

TOURISTE: Pourquoi la différence de prix?

RÉCEPTION: Les places les plus chères sont des places assises.

TOURISTE: Très bien. Et il y d'autres choses à voir ou à faire?

RÉCEPTION: Oui, Monsieur, je peux vous envoyer un programme si vous voulez.

TOURISTE: Parfait. Mon nom est Martigny . . . M A R T I G N Y, Henri, et mon adresse, 17 avenue Charles de Gaulle, 92201 Neuilly-sur-Seine.

RÉCEPTION: Merci, Monsieur. Je vous envoie cela aujourd'hui.

TOURISTE: Merci, Mademoiselle. Vous êtes très aimable.

EXPLICATIONS

Comparing things

Remember that plus *means more and* moins *means less! When you are comparing things or people, add* que.

Jean est **plus** grand   **que**   Pierre

John is taller   *than*   *Peter*

*When you want to say the bigg**est**, small**est**, thinn**est**, etc., put* le/la/les *in front of the describing word* plus *or* moins.

Votre chambre est **plus** petite **que** la chambre de Pierre.
La chambre de Marie est **la plus** petite.
Les billets d'opéra sont **plus** chers **que** les billets de jazz.
Les billets pour le ballet sont **les plus** chers.
La petite chambre est **moins** chère **que** la grande chambre.

Je suis gros!   Marcel est plus gros!   Jacques est le plus gros!

les plus gros!

COMPREHENSION

Read through the leaflet below. Listen to the tape and answer the tourist's questions.

a) Il y a une soirée d'opéra le 7 juin?

b) Pour le concert de jazz, les personnes handicapées paient combien?

c) Pour le concert de George Melly, c'est combien la place assise?

d) Le repas est inclus dans le prix du billet pour la soirée d'opéra?

e) L'après-midi de jazz . . . ça commence à quelle heure?

THE WHITBREAD HOP FARM
EST. 1742 — W.H.F.

1992 Summer Festival of Music

POPULAR OPERA AND SONG DINNER EVENINGS

Hadleigh's BANQUETING SUITE

Featuring the 'First Act Opera'

Tickets £20 per person — *includes 3 course Dinner with accompanying half bottle of wine plus complimentary apéritif on arrival.*

**Friday 5th June · Friday 3rd July · Friday 7th August
7.30pm — late**

AN AFTERNOON OF JAZZ
Sunday 7th June

FEATURED BANDS:

Hard Lines · Sax Max · Bob Bernard Quartet
New Orleans Echoes · Liane Carroll Trio

*Gates open 10am-6pm. Performances commence 2pm.
Admission: £4.25 Adults/£3.00 Children/Over 60's and Registered Disabled
(NO ADVANCED BOOKING REQUIRED)*

GEORGE MELLY OPEN AIR JAZZ NIGHT
Friday 24th July · 7.00pm — late
*"The inimitable good time George"
and The John Chiltern Feetwarmers*

Tickets: £10 with seat · £8 without seat

CLASSICAL OPEN AIR CONCERT
Saturday 25th July · 7.00pm — late
A CLASSICAL FAVOURITES & VIENNESE EVENING
with The London Philanova Orchestra
and TV Narrator JOHNNY MORRIS

Tickets: £12 with seat · £10 without seat

For further information and details of advanced booking on all the above events please telephone
The Whitbread Hop Farm Reservations Office on (0622) 872068 Fax: (0622) 872630

THE WHITBREAD HOP FARM
BELTRING · PADDOCK WOOD · KENT

The Management reserve the right without notice to cancel or amend any of the above events and determine the prices according to the circumstances.

EXERCICES

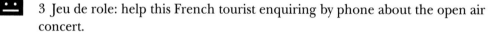

1 Listen to the dialogue again and write true or false for the following statements.

    a) the classical music concert is on 25 June

    b) there is no jazz concert

    c) all seats are the same price

    d) the receptionist offers to send the tourist a programme of events

2 Look at the illustrations below and say who is the fattest or tallest.

Pierre   Henri   Marc   Jacques   Bruno   Antoine

3 Jeu de rôle: help this French tourist enquiring by phone about the open air concert.

    – Allô?

    – *(Say good morning, Madam. Can I help you?)*

    – Oui, le concert de musique classique, c'est quelle date, s'il vous plaît?

    – *(Say it is on the 25th of August.)*

    – Il y a d'autres concerts?

    – *(Say that there is a jazz concert on the 29th August.)*

    – Les deux concerts sont en plein air?

    – *(Say yes, Madam. Both are open air.)*

    – Et vous avez un restaurant?

    – *(Say yes, Madam. There is the Roundels Restaurant.)*

    – Et il y a un parking?

    – *(Say yes. There is a large car park at the entrance.)*

SITUATION B: *renseignements sur le camping*

VOCABULAIRE

le camping	*campsite*
un emplacement	*place/pitch*
un événement special	*a special event*
la visite de la ferme	*the visit to/round the farm*
cela pose un problème?	*does that pose a problem?*
assister au concert	*to attend the concert*
pas du tout	*not at all*
rester plus longtemps	*to stay longer*

TOURISTE: Allô? Whitbread Hop Farm?

RÉCEPTION: Oui, Madame. Je peux vous aider?

TOURISTE: Oui, Monsieur. Je voudrais réserver un emplacement au camping, pour une caravane, s'il vous plaît.

RÉCEPTION: Oui, Madame. C'est pour combien de jours?

TOURISTE: Pour deux jours seulement. C'est combien par jour?

RÉCEPTION: Onze livres, Madame, avec la visite de la ferme.

TOURISTE: Quelles sont les heures d'ouverture?

RÉCEPTION: De dix heures jusqu'à dix-huit heures.

TOURISTE: Très bien. Il y a un événement spécial en juillet?

RÉCEPTION: Oui, Madame. Il y a un concert le trois juillet.

TOURISTE: Mais je voudrais réserver l'emplacement pour le trois. Cela pose un problème?

RÉCEPTION: Pas du tout. Mais si vous voulez assister au concert, il faut payer un supplément.

TOURISTE: D'accord. Et si je décide de rester plus longtemps, c'est le même tarif?

RÉCEPTION: Non, il y a une réduction.

TOURISTE: Très bien. Merci bien.

RÉCEPTION: Je vous en prie. Au revoir Madame.

EXPLICATIONS

Negatives

Although you can answer requests/questions with a simple non, *it is useful to know some other expressions, whether to reassure someone or tell them off!*

pas du tout	*not at all*
absolument pas	*absolutely not*
certainement pas	*certainly not*
hors de question	*out of the question*

Faux amis

Be careful of words which look like English words and mean something totally different!

assister à	*to attend (a meeting, a concert)* *to witness (an accident)*	**not**	*to help* (aider)
rester	*to stay (at a hotel, at home)*	**not**	*to rest* (se reposer)

Et . . .

Et *(and) can also be used to introduce questions beginning with* 'what about . . . ?' *and* 'what if . . . ?'.

What about Michel?	**Et** Michel?
What about your caravan?	**Et** votre caravane?
What if I decide to stay?	**Et** si je décide de rester?
What if Pierre arrives today?	**Et** si Pierre arrive aujourd'hui?

COMPREHENSION

With the help of your dictionary, read the excerpt below about caravanning facilities at the Whitbread Hop Farm and answer vrai *or* faux *to the French statements below.*

a) C'est le même tarif pour une caravane que pour une tente.

b) Il y a de nouvelles toilettes et douches.

c) Quelquefois il faut payer plus cher quand il y a un événement spécial.

d) Vous avez droit à une réduction si vous restez plus de deux nuits.

e) Le camping est loin de la ferme.

f) Vous pouvez visiter la ferme le jour ou la nuit.

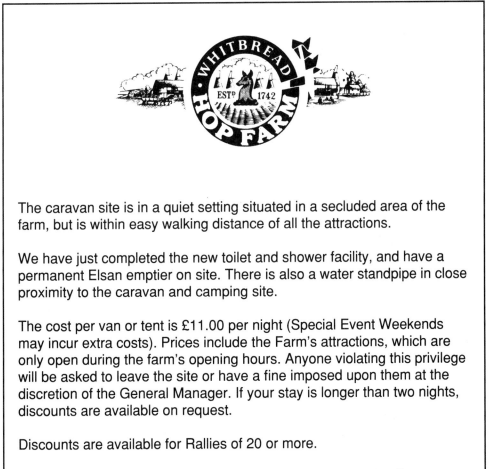

The caravan site is in a quiet setting situated in a secluded area of the farm, but is within easy walking distance of all the attractions.

We have just completed the new toilet and shower facility, and have a permanent Elsan emptier on site. There is also a water standpipe in close proximity to the caravan and camping site.

The cost per van or tent is £11.00 per night (Special Event Weekends may incur extra costs). Prices include the Farm's attractions, which are only open during the farm's opening hours. Anyone violating this privilege will be asked to leave the site or have a fine imposed upon them at the discretion of the General Manager. If your stay is longer than two nights, discounts are available on request.

Discounts are available for Rallies of 20 or more.

If you would like further details, please contact Christine Woodhams on (0662) 872068.

EXERCICES

1 Refuse the requests you hear:

    a) Je peux fumer?   Out of the question!

    b) Je peux payer pour vous?   Certainly not!

    c) Vous pouvez me donner £100?   Absolutely not!

and reassure your worried guest . . .

    d) Cela ne pose pas de problème?   Not at all.

2 Asking 'what about . . .' and 'what if . . . ?'. Put the following sentences into French and check with the tape.

    a) What about Pierre?

    b) What if you pay tomorrow?

    c) What if I reserve now?

    d) What about the car?

    e) What about my room?

3 Jeu de rôle: you receive a telephone call from a Frenchman. Help him with his enquiry.

    – Bonjour, Madame.

    – *(Say hello, Sir. Can I help you?)*

    – Oui. Je voudrais réserver un emplacement au camping pour caravanes.

    – *(Ask for what date.)*

    – Le 14 juillet . . . c'est combien?

    – *(Say £11.)*

    – Il y a des douches et toilettes au camping?

    – *(Say of course, Sir.)*

    – Très bien. Alors mon nom c'est Legrand. Michel Legrand. L E G R A N D.

    – *(Say thank you.)*

    – Merci à vous et au revoir, Madame.

Now listen to the tape again and practise your pronunciation.

SITUATION C: *une touriste cherche des cadeaux*

des cadeaux	*some presents*
le savon	*soap*
une gamme de produits	*a range of products*
de la confiture	*jam*
du miel	*honey*
sur l'étagère	*on the shelf*
des crayons, des gommes	*pencils and rubbers*
la lotion après-rasage	*after-shave lotion*
ça fait . . . en tout	*that comes to . . . in all*

TOURISTE: Bonjour, Monsieur. Je cherche des cadeaux pour mon mari et mes enfants.

EMPLOYÉ: Oui, Madame.

TOURISTE: Mon mari adore l'Angleterre! Les choses traditionnelles.

EMPLOYÉ: Nous avons une gamme de produits – des savons, de la lotion après-rasage et nous avons de la confiture, du miel et des biscuits là-bas, sur l'étagère.

TOURISTE: Très bien.

EMPLOYÉ: Nous avons aussi des tasses, des verres.

TOURISTE: Et pour les enfants?

EMPLOYÉ: Ils sont grands ou petits?

TOURISTE: Une fille de sept ans et un garçon de cinq ans.

EMPLOYÉ: Pour la petite fille nous avons des *cottages* en poterie très jolis et pour le petit garçon nous avons des posters, des crayons, des gommes.

TOURISTE: Bien. Je vais voir. Merci beaucoup . . . Voilà! Un beau poster pour mon fils, un petit *cottage* pour ma fille et des tasses anglaises et de la lotion après-rasage pour mon mari.

EMPLOYÉ: Merci, Madame. Voilà, ça fait £46.80 en tout.

TOURISTE: Voilà, Monsieur.

EMPLOYÉ: Merci, Madame. Au revoir.

Describing things

Look through the dialogue and pick out all the adjectives e.g. Les choses traditionelles. *Some adjectives are 'irregular' and do not follow the normal rules. The words* beau *(also* nouveau) *and* vieux *are typical ones.*

le **beau** cheval

les **beaux** chevaux

la **belle** France!

les **belles** dames

le **vieux** monsieur

les **vieux** messieurs

la **vieille** ville

les **vieilles** dames

INFO!

- British mugs are very popular with the French. Many French people still drink their morning coffee from large bowls, but are beginning to convert to mugs!

- The French do drink tea, but will expect to see it served in cups and either black or with a slice of lemon.

COMPREHENSION

With the help of your dictionary and the information below, answer oui *or* non *to this French tourist's questions:*

a) Il y a des animaux à voir?

b) Il y a un restaurant?

c) Il y a un terrain de jeux pour les enfants?

d) On peut visiter les séchoirs à houblon?

e) Il y a une piscine?

f) Il y a un hôtel?

THE
WHITBREAD HOP FARM

STEEPED IN TRADITION
Now available — Excellent Caravan and Camping Facilities

Set in the midst of the beautiful Kent countryside, visitors have access to all the Farm's attractions including:
- The Most Magnificent Collection of Victorian Oast Houses in the World
- The Whitbread Shire Horse Centre
- NEW FOR 1992 A FASCINATING EXHIBITION OF THE KENT HOP PICKING STORY
- Birds of Prey (featuring Flying Displays weather permitting) ● Animal Village ● Pottery Workshop
- Nature Trail ● Gift Shop ● Childrens Play Area ● The Roundels Restaurant
- "Hadleighs" Conference and Banqueting Suite ● Special Events

The Caravan site is in a secluded area of the farm, but close enough to enjoy all the facilities.

THE WHITBREAD HOP FARM Open March 1992 onwards
Beltring · Paddock Wood · Kent TN12 6PY
For further details and rates telephone Louise Walker on (0622) 872068

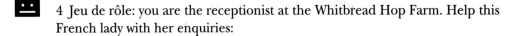

EXERCICES

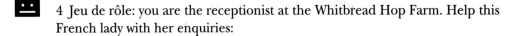 1 Listen to the tape and write down in English what you understand.

2 Pick the appropriate word for the gap.

    a) Une (joli/jolie/jolies) fille

    b) La confiture est (bon/bonne/bons)

    c) Un (petite/petits/petit) garçon

    d) Une (petite/petit/petites) fille

3 Unscramble the conversation.

    a) Nous avons des *cottages* en poterie

    b) Bonjour, Monsieur

    c) Oui, je cherche un cadeau pour ma fille

    d) Je peux vous aider?

    e) Très bien. C'est parfait

    f) Bonjour, Mademoiselle

    g) C'est combien?

    h) £14

 4 Jeu de rôle: you are the receptionist at the Whitbread Hop Farm. Help this French lady with her enquiries:

    – Bonjour, Madame.

    – *(Say good afternoon, Madam.)*

    – Je cherche le musée.

    – *(Say yes, Madam. The museum is over there.)*

    – Et où sont les shires?

    – *(Say that the shire horses are over there on the left.)*

    – Merci. Et le parc pour les enfants?

    – *(Say that the children's playground is just after the shire horse centre.)*

    – Merci, Mademoiselle. Vous êtes très aimable.

    – *(Say you're welcome.)*

AU RESTAURANT

SITUATION A: *M. Sèvres, un homme d'affaires, regarde le menu du restaurant où il déjeune*

VOCABULAIRE	
déjeuner	*to have lunch*
vous pouvez m'expliquer	*can you explain to me*
les crevettes	*prawns/shrimps*
rose	*pink*
les plats	*dishes/meals*
garni	*served with vegetables*
les pommes de terre	*potatoes*
choisir	*to choose*
les légumes du jour	*the vegetables of the day*
les haricots verts	*green beans*
les petits pois	*peas*

M. SÈVRES: Excusez-moi Mademoiselle, vous pouvez m'expliquer quelque chose?

SERVEUSE: Bien sûr Monsieur.

M. SÈVRES: Qu'est-ce que c'est exactement le '*prawn cocktail*'?

SERVEUSE: Ce sont des crevettes avec une sauce rose.

M. SÈVRES: Et le '*sole poached in white wine*'?

SERVEUSE: Des filets de sole pochés au vin blanc.

M. SÈVRES: Et les plats sont garnis?

SERVEUSE: Oui Monsieur. Tous nos plats sont garnis de pommes de terre, et puis vous pouvez choisir un des légumes du jour. Aujourd'hui nous avons des haricots verts, des petits pois et des carottes.

M. SÈVRES: Et le '*strawberry sorbet*', qu'est-ce que c'est '*strawberry*'?

SERVEUSE: Des fraises Monsieur. C'est un sorbet aux fraises.

Choisir *(to choose)*

je choisis	*I choose*	nous choisissons	*we choose*
tu choisis	*you choose*	vous choisissez	*you choose*
il/elle choisit	*he/she chooses*	ils/elles choisissent	*they choose*

Un sorbet aux fraises

When giving a description of the main ingredient of a dish, the French use au, à la, à l' *or* aux, *followed by the name of that ingredient. (See Units 2 and 4.)*

e.g.   un sorbet **aux** fraises = strawberry sorbet

Here are some more common examples:

une tarte **aux** pommes	apple tart
une tarte **aux** poires	pear tart
une glace **à la** vanille	vanilla ice cream
un sorbet **aux** cerises	cherry sorbet
un sorbet **au** cassis	blackcurrant sorbet
le gâteau **au** chocolat	chocolate cake
une mousse **à l'**orange	orange mousse
poché **au** vin blanc	poached in white wine

INFO!

- Continental visitors have very preconceived ideas about British cooking. They find it very strange that we eat 'meat with jam' (i.e. pork with apple sauce). They also think that the only dessert we produce is pudding, which to them means a stodgy fruit cake concoction which bakeries abroad sell as the 'genuine' British article!

COMPREHENSION

1 *Using the pictures below to help you, match the English words with their French equivalents.*

a) onions
b) leeks
c) mushrooms

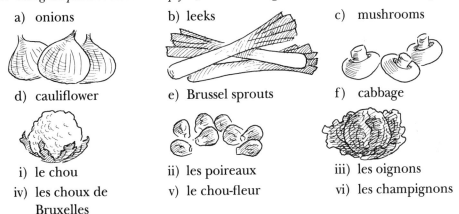

d) cauliflower
e) Brussel sprouts
f) cabbage

i) le chou
ii) les poireaux
iii) les oignons

iv) les choux de
Bruxelles
v) le chou-fleur
vi) les champignons

Now listen to the tape and practise your pronunciation.

2 *Compare the French and English versions of the same advertisement, and find the French word(s) for the following:*

a) beautiful countryside

b) English country fruit wines

c) hot and cold buffet

d) evening meal

e) rabbit

f) pheasant

 Venez apprécier l'ambiance unique d'une taverne méd-iévale, authentique et intacte, avec éclairage tamisé, nichée dans les profondeurs de la magnifique campagne du Kent.

- Huit types différents de "real ale" soutirées de fûts en bois.
- Ving-quatre types différents de champagnes et de vins de fruits anglais.
- Buffet chaud et froid - sept jours sur sept.
- Menus variés offrant un grand choix pour le dîner.
- Cuisine rustique traditionnelle.
- Réceptions, groupes et enfants bienvenus.

Essayez l'un de nos plats primés:
Feuilleté de gibier au madère -
chevreuil, canard sauvage, lapin et faisan mijotés au porto.

 Enjoy the unique ambience of a genuinely unspoilt, medieval lamplit tavern, tucked away in the depths of beautiful Kent countryside.

- Eight well kept real ales tapped from casks.
- Twenty-four English country fruit wines and champagnes.
- Hot and cold lunchtime buffet - 7 days a week.
- Extensive and ever changing menus for evening meals.
- Traditional home-cooked country recipes.
- Functions, parties and children welcome.

Try one of our award winning dishes:
Game Pie with Madeira -
gently simmered Venison, wild Duck, Rabbit and Pheasant in Port Wine.

The Ringlestone Inn,
Ringlestone Road,
Harrietsham,
Nr. Maidstone,
Kent ME17 1NX.
Tel: (0622) 859900

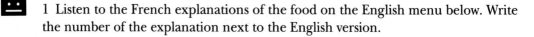

1 Listen to the French explanations of the food on the English menu below. Write the number of the explanation next to the English version.

English *French*

a) sautéed potatoes

b) pear sorbet 1

c) mushrooms in white wine

d) chocolate cake

e) onion soup

f) cauliflower cheese

2 How would you explain the following to a French customer?

a) blackcurrant sorbet   b) chocolate mousse

c) vegetables of the day   d) apple tart

e) coffee ice-cream   f) all our meals are served with
                               vegetables

Now listen to the tape and practise your pronunciation.

3 Listen to the phrases on the tape and complete the grid below with the missing words. When you have finished, another word will appear in the shaded area.

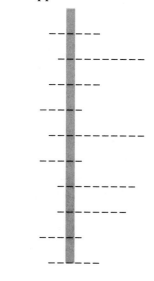

a) une . . . . . aux fraises

b) qu'est-ce que c'est . . . . . ?

c) un sorbet au . . . . .

d) tous nos . . . . . sont garnis

e) les . . . . . à la crème

f) les . . . . . de Bruxelles

g) des . . . . . dans une sauce rose

h) des . . . . . verts

i) poché au vin . . . . .

j) les . . . . . pois

SITUATION B: *M. et Mme Langlois commandent un repas au restaurant*

VOCABULAIRE

vous avez choisi?	*have you chosen?*
comme entrée	*as a starter*
comme plat principal	*as a main course*
le rôti de porc	*roast pork*
la dorade	*sea-bream*
à la crème de romarin	*in a rosemary sauce*
et comme légumes?	*and as vegetables?*
le gratin de courgettes	*courgettes topped with cheese*
la purée de carottes	*puréed carrots*
et comme boisson?	*and to drink?*
une bouteille de vin blanc maison	*a bottle of house white*
une carafe d'eau	*a carafe of water*

SERVEUSE: Monsieur, Madame, vous avez choisi?

M. LANGLOIS: Oui, Madame va prendre le pâté comme entrée. Pour moi la soupe à l'oignon.

SERVEUSE: Très bien Monsieur. Et comme plat principal?

MME LANGLOIS: Pour moi le rôti de porc.

SERVEUSE: Oui, et pour Monsieur?

M. LANGLOIS: Je prends la dorade à la crème de romarin.

SERVEUSE: Et comme légumes?

M. LANGLOIS: Des pommes de terre sautées, le gratin de courgettes et la purée de carottes.

SERVEUSE: Et comme boisson?

M. LANGLOIS: Une bouteille de vin blanc maison et une carafe d'eau.

SERVEUSE: Très bien Monsieur.

EXPLICATIONS

Standard ordering phrases

vous avez choisi?	*have you chosen?*
comme entrée	*as a starter*
comme plat principal	*as a main course*
comme boisson	*as a drink*
comme dessert	*as a dessert*
vous avez terminé?	*have you finished?*
bon appétit!	*enjoy your meal!*
vous avez bien mangé?	*did you enjoy your meal?*

Talking in the past

vous avez choisi = *you have chosen/you chose*

To form the past tense, use the present tense of avoir *(to have) and the past participle of the verb.*

Formation of the past participle:
er *verbs: replace* er *by* é

e.g.   vous avez terminé   il a payé   nous avons téléphoné

ir *verbs: replace* ir *by* i

e.g.   vous avez choisi   elle a fini   ils ont garni

Irregular verbs: *here are a few irregular past participles to help you.*

Verb	Past participle
avoir	eu
être	été
pouvoir	pu
boire	bu
prendre	pris
dire	dit
faire	fait

Il a trop bu!

INFO!

- Continental visitors are used to using the same knife and fork for all their courses, so they may be confused by the amount of cutlery on the table.

COMPREHENSION

1 *Change the sentences below from the present to the past.*

e.g.   **Je prends** le pâté comme entrée → **J'ai pris** le pâté comme entrée

a) Nous commandons le repas

b) Il téléphone au restaurant

c) Elles réservent une table

d) Vous choisissez le saumon fumé

e) Je mange du poisson

---

2 *Look at the following menu, and try to match up the French dishes with their English translations.*

a) cheese

b) ox tongue in a tomato and mushroom sauce

c) Ardennes ham

d) roast pork with four herbs

e) fruit cocktail

f) raw vegetable salad

g) shellfish pâté

h) ice cream

i) half a chicken with wild mushrooms

j) cheese in puff pastry

Menu à 66F

Jambon des Ardennes
ou
Crudités
ou
Feuilleté au Fromage
ou
Terrine Coraillée de St Jacques

♦ ♦ ♦

Langue de Boeuf
Sauce Tomate Champignons
ou
Rôti de Porc aux quatre parfums
ou
Demi-coquelet aux
champignons des Bois

♦ ♦ ♦

Fromage
ou
Coktail de fruit ou Glace

---

3 *Match up the pronouns (*il *etc.) with the corresponding verb in the past. (There may be more than one solution.)*

j'	a) avez acheté	h) a téléphoné
nous	b) avons dit	i) ai mangé
il	c) ont commandé	j) a servi
vous	d) a regardé	k) avons terminé
elles	e) ont fini	l) ont réservé
elle	f) ai choisi	m) avez parlé
ils	g) ont bu	n) a pris

EXERCICES

 1 Listen to the following people talking and tick off what they ate and drank on the menu.

Menu	*Paul*	*Yvonne*	*Pierre*
Onion soup			
Chef's pâté			
Prawn cocktail			
Roast beef			
Grilled salmon			
Chicken in red wine			
Chocolate mousse			
Apple tart			
Cheese			
White wine			
Red wine			
Mineral water			

 2 Jeu de rôle: complete the following conversation referring to the above menu.

– *(Ask if they have chosen.)*

– Oui. Pour Madame, du pâté. Qu'est-ce que c'est exactement le *prawn cocktail?*

– *(Explain.)*

– Alors, je prends la soupe à l'oignon.

– *(Ask about main courses.)*

– Le coq au vin pour Madame, et le rôti de boeuf pour moi. Quels sont les légumes du jour?

– *(Peas, cauliflower cheese and sautéed potatoes.)*

– Excellent.

– *(Ask about drinks.)*

– Une bouteille de Mouton Cadet et une carafe d'eau.

– *(Repeat the order back to the customer.)*

SITUATION C: *Mme Durand parle au maître d'hôtel*

VOCABULAIRE

quelque chose ne va pas?	*is something wrong?*
quand je suis arrivée	*when I arrived*
très occupé	*very busy*
saignant	*rare (of steak)*
apporter	*to bring*
bien cuit	*well-cooked*
l'addition	*the bill*
en trop	*too many*
la prochaine fois	*the next time*
j'attends un service impeccable	*I expect impeccable service*
veuillez accepter toutes nos excuses	*please accept our full apologies*

MAÎTRE D'HÔTEL: Quelque chose ne va pas, Madame?

MME DURAND: Oui. Quand je suis arrivée, j'ai attendu vingt minutes pour ma table.

MAÎTRE D'HÔTEL: Je suis désolé Madame, mais nous sommes très occupés aujourd'hui.

MME DURAND: D'accord, mais j'ai commandé un steak saignant et le serveur a apporté un steak bien cuit.

MAÎTRE D'HÔTEL: Je suis navré Madame.

MME DURAND: Ce n'est pas tout. Il a apporté des pommes de terre sautées mais j'ai commandé de la purée. Et je n'ai pas eu de carottes.

MAÎTRE D'HÔTEL: Je vais parler au serveur tout de suite.

MME DURAND: Et sur l'addition vous avez marqué une bouteille de vin en trop.

MAÎTRE D'HÔTEL: Veuillez accepter toutes nos excuses. La direction vous offre une réduction de vingt pour cent.

MME DURAND: D'accord, mais la prochaine fois j'attends un service impeccable.

Useful expressions to describe meat dishes

bien cuit   *well-done*   à point   *medium*   saignant   *rare*

Je suis arrivé

In the past tense, some verbs use être *instead of* avoir. *Most of these are verbs of coming and going. Here are some of them:*

Verb	Past participle
arriver *(to arrive)*	arrivé
partir *(to leave)*	parti
sortir *(to go out)*	sorti
entrer *(to go in)*	entré
rester *(to stay)*	resté
descendre *(to go down)*	descendu
monter *(to go up)*	monté
venir *(to come)*	venu
aller *(to go)*	allé

Note: the past participle of these verbs must agree with the subject of the verb.

e.g.   il est sorti   ***but***   **elle** est sorti**e**

   il est monté   ***but***   **ils** sont monté**s**

   il est descendu   ***but***   **elles** sont descendu**es**

Past negative

The ne . . . pas *goes either side of the* avoir *or the* être *part of the past tense.*

e.g.   il est entré

   il **n'**est **pas** entré

   elle a commandé

   elle **n'**a **pas** commandé

Je n'ai pas eu de carottes!

INFO!

- Continental visitors are usually surprised, and sometimes put off, by well-cooked meat, especially steak; they are used to rare meat.

COMPREHENSION

1 *Complete the sentences with the past tense of the verb in brackets. (If it uses* être, *don't forget to make the appropriate agreement.)*

e.g.   J'*ai mangé* une salade   (manger)

a) Elle . . . . . dans le restaurant à midi   (entrer)

b) Je . . . . . un quart d'heure pour une table   (attendre)

c) Ils . . . . . le plat du jour   (choisir)

d) Nous . . . . . après le repas   (partir)

e) Elles . . . . . avant Pierre et Jean   (arriver)

f) Il . . . . . un steak-frites   (commander)

---

2 *Read the following passage, then answer the questions below in French.*

Paul arrived at one o'clock. He went into the restaurant and sat down at a table. The waiter came over to the table and gave him a menu. Paul looked at the menu and chose the dish of the day. The waiter took the order and went to the kitchen. After ten minutes, the waiter brought Paul's starter.

a) Paul est arrivé à quelle heure?

b) Qu'est-ce que le serveur a fait?

c) Qu'est-ce que le serveur a donné à Paul?

d) Qu'est-ce que Paul a choisi?

e) Le serveur est allé où?

f) Qu'est-ce que le serveur a fait après dix minutes?

---

3 *Make the following past sentences negative.*

a) Il est entré dans le bar

b) Elles ont choisi le pâté

c) J'ai terminé le dîner

d) Le Maître d'hôtel a fait ses excuses

e) Vous avez réservé une table

f) Michel et Marie ont bien mangé

EXERCICES

 1 Listen to the tape and compare what is said with the bill below. The customer has been overcharged for one item. What is it?

```
       Brasserie «La Chicorée»
            Ouvert jour et nuit
         CODE V:         10
         TABLE NO        16
         COUVERTS        2

         2 MENU SEMAINE      120.00
           !*RILLETTES*!       . 0
           !**POTAGE**!        . 0
         2 !*TOUR 2*!          . 0
         2 !*CREME CARAMEL     . 0
         2 TUPILER FUT       17.00
         2 CAFE EXPRESSO     12.00
                         --------------
              S/TOTAL :      149.00

              DONT TVA       23.37

              TOTAL        149.00
         11H52  2 10  07 1  09 OCT 92
```

Now listen to the tape and practise your pronunciation.

 2 Jeu de rôle: use the prompts below to complete the conversation.

– *(Ask if anything is wrong.)*

– Oui. Il y a des erreurs sur l'addition. J'ai commandé du pâté et vous avez marqué des crudités.

– *(Apologise.)*

– En plus, j'ai commandé un steak à point et vous avez servi un steak saignant.

– *(Apologise profusely.)*

– Alors, qu'est-ce que vous allez faire?

– *(Say you will speak to the chef at once and offer a 10 per cent reduction.)*

– D'accord, mais la prochaine fois j'attends un service impeccable.

Now listen to the model dialogue and practise your pronunciation.

 3 Listen to the sentences on the tape and decide whether they are affirmative (+) or negative (−).

Now listen to the tape and practise your pronunciation.

Unité Onze

AU CENTRE CULTUREL

SITUATION A: *la famille Merceau veut faire un tour du centre culturel*

VOCABULAIRE

un peu	*a little*
dans chaque salle	*in every room*
pendant les différents siècles	*during the different centuries*
de l'époque	*of the period*
la vie quotidienne	*everyday life*
il faut prévoir combien de temps?	*how much time must we allow?*
environ une heure	*about an hour*
si longtemps	*such a long time*
des jeux	*games*
ils ne parlent que le français	*they speak only French*

M. MERCEAU: Excusez-moi Mademoiselle. Vous pouvez expliquer un peu sur le centre?

EMPLOYÉE: Bien sûr Monsieur. Dans chaque salle il y a une exposition de la vie en Grande-Bretagne pendant les différents siècles, du seizième au vingtième siècle. Il y a des vêtements de l'époque et des explications sur la vie quotidienne de chaque siècle.

M. MERCEAU: Très intéressant. Et il faut prévoir combien de temps?

EMPLOYÉE: Environ une demi-heure par salle, mais vous n'êtes pas obligés de rester si longtemps bien sûr.

M. MERCEAU: Et c'est intéressant pour les enfants?

EMPLOYÉE: Oui. Nous avons préparé des jeux et un questionnaire sur chaque salle pour les jeunes visiteurs.

M. MERCEAU: Mais les enfants ne vont pas comprendre. Ils ne parlent que le français.

EMPLOYÉE: Toutes les brochures sont en français aussi Monsieur. Vous pouvez acheter les guides et les questionnaires à l'entrée.

EXPLICATIONS

Environ *(about, approximately)*

Environ *can be used before expressions of time, distance and quantities.*

e.g.　Environ une demi-heure par salle.

　　　Environ trois kilomètres.

　　　Environ dix personnes.

Longtemps *(a long time)*

e.g.　Il a été longtemps dans la première salle.

　　　He has been in the first room for a long time.

Ne . . . que *(only)*

French uses ne . . . que *to mean 'only' in the same way as it uses* ne . . . pas *to mean 'not'.*

Simply replace the pas *with* que *(or* qu' *if the next word begins with a vowel) to change the meaning of the sentence.*

Il ne paie **pas** la brochure　　　　　*He is **not** paying for the brochure*

Il ne paie **que** la brochure　　　　　*He is **only** paying for the brochure*

Vingtième *(twentieth)*

It is quite easy to form the 'th' form of numbers in French: simply add ième *to the end of the number, removing the 'e' if that is the final letter.*

deux**ième**	*second*	vingt**ième**	*twentieth*
seiz**ième**	*sixteenth*	douz**ième**	*twelfth*

COMPREHENSION

1 *Match the sentences on the left with those on the right.*

i) Il est végétarien   a) Je n'ai que des francs français

ii) Elle est de Marseille   b) Nous n'avons que des bicyclettes

iii) Je n'ai pas d'argent anglais   c) Il ne mange que des légumes

iv) Nous n'avons pas de voitures   d) Il n'y a que des brochures en anglais

v) Il n'y a pas de brochures en espagnol   e) Elle ne parle que le français

2 *Using the information in French and English, answer the questions below.*

Le centre des visiteurs	Prévoir 40 minutes
Votre visite débute ici avec une introduction générale à l'histoire du site et à la construction navale à Chatham. Un programme audiovisuel de 30 minutes relate 'l'Histoire du Chantier Naval de Chatham'.	
Wooden Walls	Prévoir 1 heure
Sail and Colour Loft	Prévoir 20 minutes
Salle de l'artillerie	Prévoir 30 minutes
La fabrique de cordage	Prévoir 45 minutes

a) What are the French equivalents of the following?

     i) The Ropery   ii) The Visitors' Centre   iii) The Historic Dockyard

b) How much time should you allow for the following?

     i) The Visitors' Centre   ii) The Arsenal   iii) The Ropery

3 *Look at the following advertisement. What three attractions are advertised?*

The Patrick Collection

UN MUSEE AUTOMOBILE UNIQUE
NOS JARDINS EN TERRASSE ET
LE RESTAURANT GOURMAND

FORMULE DES LOISIRS MEMORABLES

EXERCICES

1 Jeu de rôle: use the prompts to complete the conversation.

    – Excusez-moi. Vous pouvez expliquer un peu sur le centre.

    – *(Of course. There are four rooms.)*

    – Qu'est-ce qu'il y a dans chaque salle?

    – *(In each room there are cars of the twentieth century.)*

    – Très bien. Et il faut prévoir combien de temps?

    – *(About twenty minutes per room.)*

    – Et c'est très intéressant pour les enfants?

    – *(Yes. You have prepared a questionnaire for young visitors.)*

    – Et c'est en français?

    – *(Yes. You can buy the questionnaire at the entrance.)*

Now listen to the model conversation and practise your pronunciation.

2 Listen to the sentences on the tape and mark whether you hear *ne . . . pas* or *ne . . . que.*

	ne . . . pas	*ne . . . que*
a)		
b)		
c)		
d)		
e)		

Now listen to the tape again and practise your pronunciation.

SITUATION B: *l'employée parle des visites guidées à M. et Mme Talbot*

VOCABULAIRE

des visites guidées	*guided tours*
durer	*to last*
faire le tour de	*to go around*
les salles d'exposition	*exhibition rooms*
les salles privées	*private rooms*
louer un balladeur	*to hire a personal stereo*
des écouteurs	*headphones*
un commentaire en français	*a commentary in French*
souvent	*often*

EMPLOYÉE: Alors, nous avons des visites guidées du musée.

M. TALBOT: Et ça dure combien de temps?

EMPLOYÉE: Il y a deux visites guidées. La première dure une heure et la deuxième dure deux heures.

MME TALBOT: Et la différence entre les deux?

EMPLOYÉE: Pendant la première visite vous faites le tour de toutes les salles d'exposition du musée. Pendant la deuxième, vous pouvez voir les jardins et les salles privées aussi.

M. TALBOT: Et les guides parlent français?

EMPLOYÉE: Non, mais vous pouvez louer des balladeurs et des écouteurs. Vous avez un commentaire en français. Les visiteurs français utilisent souvent les balladeurs.

M. TALBOT: Et nous pouvons louer les balladeurs où?

EMPLOYÉE: Là-bas, près de l'entrée. Ça coûte une livre par personne.

MME TALBOT: Merci Mademoiselle.

EXPLICATIONS

Durer *(to last)*

This verb is usually used only in conjunction with the length of time something lasts.

La visite guidée dure une heure   *The guided tour lasts for one hour*

Louer *(to hire)*

je loue	*I hire*	nous louons	*we hire*
tu loues	*you hire*	vous louez	*you hire*
il/elle loue	*he/she hires*	ils/elles louent	*they hire*

Souvent *(often)*

Souvent *is a word used to express frequency. Other examples are as follows:*

de temps en temps	*from time to time*
(ne . . .) jamais	*never*
assez souvent	*quite often*
quelquefois	*sometimes*
toujours	*always*
une fois par jour	*once a day*
deux fois par mois	*twice a month*

Vous regardez souvent la télévision ?

Non, seulement de temps en temps !

INFO!

- Don't confuse *salle* (a large room) with *chambre* (a bedroom)!

COMPREHENSION

1 *Look at the information about a Belgian museum and answer the following questions.*

a) On which weekday is the museum closed?

b) At what times is it open at weekends
   i) during the winter season?
   ii) during the summer season?

c) What does a *visite combinée* entail?

d) How much would it cost per person
   i) in a group of 30 adults?
   ii) in a group of 25 schoolchildren?

e) What do you think *le mardi gras* and *le mercredi des Cendres* mean?

> **Horaire d'ouverture:**
> **Du 15/1 au 31/3:**
> en semaine
> de 9h à 12h et de 13h à 17h
> samedi et dimanche de 14h à 18h
> **Du 1/4 au 15/11:**
> en semaine
> de 9h à 12h et de 14h à 18h
> samedi de 14h à 18h
> dimanche et jours fériés de 10h à 13h et de 14h à 18h
> **Fermeture**
> chaque **vendredi**, le Mardi gras, le Mercredi des Cendres, le 1er novembre.
> **Prix:**
> adultes: 120 FB
> enfants: 60 FB
> groupes (20 pers. min.) 75 FB
> et 40 FB (écoles)
> **Visites combinées**
> (entrée + guide + audio-visuel)
> sur demande préalable: 120/130 FB
> 70/80 FB (écoles)

2 *There are twelve words to do with cultural centres hidden in the grid below.*

```
A G T R E F S Q O X E P
E N T R E E O S L F A C
X H S V D R Y O M J J D
P E I S L R V G U I D E
O C N T G U E S I P H
S A L L E Q N T E V V I
I S U V I S I T E D B S
T Q S I J A R D I N S T
I U T L F Q Q T H U S O
O E P C O M C O B Q G R
N H T X C I F U D X M I
O U V E R T U R E N R Q
A C Y M J P T R E Y S U
N E S P A O Z Q V N W E
```

EXERCICES

 1 Listen to Chantal talking and mark in the appropriate column how often she does the following activities.

	Jamais	*Souvent*	*Quelquefois*	*De temps en temps*
a) visiter les musées				
b) aller au cinéma				
c) louer un balladeur				
d) aller au parc d'attractions				

Now listen to the tape again and practise your pronunciation.

Working with a partner, and using Pierre's examples as a model, make up similar dialogues about what you do in your spare time.

 2 Jeu de rôle: use the information below to help you answer the customer's questions.

Guided Tours

Dockyard tours, conducted by our trained guides, last about 1½ hours - 2 hours. Groups must pre-book: Individuals may join the twice-daily tour for casual visitors. Group price £15 (max. 30 per group). Dockyard Guide Book and special Ropery and Wooden Walls editions available, £1.50 each.

– Il faut réserver une place pour les visites guidées?

– Et ça dure combien de temps?

– Il y a des visites guidées combien de fois par jour?

– Combien coûte la visite guidée pour un groupe?

– Combien de personnes font un groupe?

– Vous avez des guides?

Now listen to the model dialogue and practise your pronunciation.

SITUATION C: *Mme Duras a perdu son sac. Elle va au bureau de renseignements*

VOCABULAIRE

Mme Duras a perdu	*Mme Duras has lost*
le bureau de renseignements	*information office*
j'ai besoin de votre aide	*I need your help*
il est comment, votre sac?	*what is your bag like?*
en cuir noir	*(made of) black leather*
mon portefeuille	*my wallet*
une voiture de location	*a rental car*
vous avez cherché?	*have you looked?*
il n'y a rien	*there's nothing*
si quelqu'un a trouvé	*if someone has found*

MME DURAS: Excusez-moi Monsieur. J'ai besoin de votre aide. J'ai perdu mon sac.

EMPLOYÉ: Oui Madame. Vous avez perdu votre sac où exactement?

MME DURAS: Je ne suis pas sûre. Je suis allée aux toilettes à midi, et puis au restaurant pour le déjeuner. A la caisse je n'ai pas pu payer!

EMPLOYÉ: Il est comment, votre sac?

MME DURAS: Il est en cuir noir.

EMPLOYÉ: Il y a beaucoup de choses dans le sac?

MME DURAS: Ah oui. Il y a mon portefeuille, les clés de la voiture de location, des cartes de crédit et, bien sûr, mon passeport!

EMPLOYÉ: Et vous avez cherché aux toilettes?

MME DURAS: Bien sûr, mais il n'y a rien!

EMPLOYÉ: Veuillez attendre un instant. Je vais faire une annonce au haut-parleur. Si quelqu'un a trouvé votre sac, il va venir ici.

MME DURAS: Merci beaucoup Monsieur.

EXPLICATIONS

Perdre *(to lose)*

je perds	*I lose*	nous perdons	*we lose*
tu perds	*you lose*	vous perdez	*you lose*
il/elle perd	*he/she loses*	ils/elles perdent	*they lose*

Past participle: perdu

e.g.   J'ai perdu mon sac.

Ne . . . rien *(nothing)*

Ne . . . rien is used to mean 'nothing', just as ne . . . pas is used to mean 'not'. Simply replace the pas with rien to change the meaning of the sentence.

e.g.   il n'a **pas** mangé   *he has **not** eaten*

il n'a **rien** mangé   *he has eaten **nothing***

Un portefeuille en cuir noir *(a black leather wallet)*

In French it is common to use en *when describing what something is made of.*

e.g.   le manteau en laine   *the woollen coat*

le sac en cuir   *the leather bag*

If you want to describe the colour of the material, simply add the required information.

e.g.   le manteau en tweed beige   *the beige tweed coat*

Le portefeuille en daim noir   *the black suede wallet.*

Here are some more examples:

en plastique	*(made of) plastic*
en cachemire	*(made of) cashmere*
en crocodile	*(made of) crocodile skin*
en soie	*(made of) silk*
en argent	*(made of) silver*
en or	*(made of) gold*

Le sac est en crocodile!

COMPREHENSION

1 *What's it made of? Follow the lines from each object to find its corresponding balloon, then unscramble the letters to find out what each is made of.*

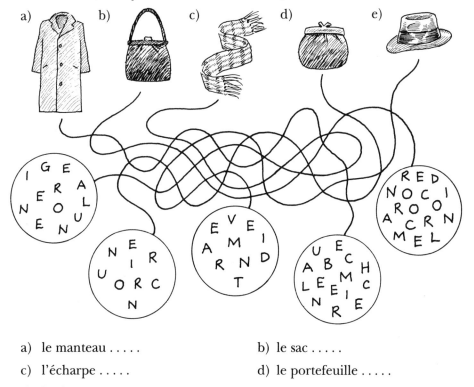

a) le manteau . . . . .

b) le sac . . . . .

c) l'écharpe . . . . .

d) le portefeuille . . . . .

e) le chapeau . . . . .

---

2 *Match up the sentences on the left with those on the right.*

i) il a soif	a) il n'y a rien
ii) elle a faim	b) je n'ai rien perdu
iii) l'entrée est gratuite	c) elle n'a rien mangé
iv) ils ont trouvé mon sac	d) je n'ai rien payé
v) le sac est vide	e) il n'a rien bu

---

3 *Look at the following list of souvenirs. What is on sale?*

a) portefeuille en daim

b) foulard en soie

c) écharpe en cachemire

d) briquet en argent

e) porte-clés en cuir

EXERCICES

1 Listen to the following people talking about what they have lost or found. Write down the answers in the appropriate column.

	Jean	Marie	Pierre	Claire
lost:				
found:				

2 Jeu de rôle: use the prompts below to complete the conversation.

– Excusez-moi, j'ai besoin de votre aide. J'ai perdu mon portefeuille.

– *(Ask where the wallet was lost exactly.)*

– Je ne suis pas sûr. Je suis allé au magasin de souvenirs après la visite guidée. A la caisse je n'ai pas pu payer.

– *(Ask what the wallet is made of.)*

– Il est en crocodile noir.

– *(Ask if there are a lot of things in the wallet.)*

– Oui. Il y a de l'argent, des cartes de crédit et mon permis de conduire.

– *(Ask if the customer has looked in the exhibition rooms.)*

– Bien sûr, mais je n'ai rien trouvé.

– *(Say you will make a public announcement. If someone has found the wallet, he will come to the information office.)*

Now listen to the model dialogue and practise your pronunciation.

3 Listen to the sentences on the tape and compare them with the translations below and mark them with a tick or a cross.

a) I have found a yellow silk headscarf.

b) We have found a green plastic wallet.

c) She found something in the souvenir shop.

d) You must look in the exhibition room.

Now listen again and write down the correct translation of the sentences you marked with a cross. Then practise your pronunciation.

Unité Douze

LE VOYAGE D'AFFAIRES

SITUATION A: *Mme Planche change sa réservation*

VOCABULAIRE

ne quittez pas	*hold the line*
le service des ventes	*the sales department*
un changement de programme	*a change of programme*
annuler	*to cancel*
la foire commerciale annuelle	*the annual trade fair*
la semaine suivante/précédente	*the following week/week before*
toujours	*still*
par écrit	*in writing*
je vous envoie une télécopie	*I am sending you a fax*

RÉCEPTION: Royal Arcade Hotel . . .

MME PLANCHE: Je voudrais changer une réservation pour une conférence s'il vous plaît.

RÉCEPTION: Un instant, ne quittez pas, je vous passe le service des ventes.

EMPLOYÉ: Service des ventes, je peux vous aider?

MME PLANCHE: Ici France-Bas, je suis désolé, j'ai un changement de programme.

EMPLOYÉ: Vous voulez annuler votre réservation?

MME PLANCHE: Non, nous devons changer les dates.

EMPLOYÉ: Oui, vous voulez quelles dates maintenant?

MME PLANCHE: C'est possible la semaine d'avant, du neuf au onze juin?

EMPLOYÉ: Euh, attendez un instant s'il vous plaît... C'est très difficile: c'est la foire commerciale annuelle, l'hôtel est complet cette semaine-là.

MME PLANCHE: Et la semaine suivante alors, à partir du vingt-trois?

EMPLOYÉ: Oui, c'est plus facile. C'est toujours pour cinquante personnes?

MME PLANCHE: Non, nous avons sept personnes de plus maintenant.

EMPLOYÉ: Bon, c'est noté. Cela ne change rien, la salle mesure neuf mètres sur dix et peut recevoir soixante-dix personnes. Vous pouvez confirmer dates et nombres de participants par écrit s'il vous plaît?

MME PLANCHE: Oui, je vous envoie une télécopie immédiatement.

EXPLICATIONS

Envoyer *(to send)*

j'envoie	*I send*	nous envoyons	*we send*
tu envoies	*you send*	vous envoyez	*you send*
il/elle envoie	*he/she sends*	ils/elles envoient	*they send*

How to read measurements

Use the verbs faire *or* mesurer *as follows:*

Les dimensions de la salle? Elle mesure six mètres quatre-vingt **sur** dix mètres

(it is 6.80 m by 10 m)

Cette voiture fait quatre mètres **de long**, trois mètres dix **de large** et un mètre quarante **de haut**

*(This car is 4 m **long**, 3.10 m **wide** and 1.40 m **high**)*

Metric measurements normally used to describe objects or premises are mètres *and* centimètres.

COMPREHENSION

CONFERENCES

Tarifs journaliers

The Breakfast Buffet

HOTEL Room Type	Redwood Lodge Hotel	St Pierre Hotel and Lakeside Village	Meon Valley Hotel	Tewkesbury Park Hotel	Goodwood Park Hotel	Tudor Park Hotel	Breadsall Priory Hotel	Broughton Park Hotel	Forest of Arden Hotel	Dalmahoy Hotel
24 HOUR PACKAGE PER DELEGATE										
Single	£100	£110	£110	£100	£105	£125	£95	£95	£125	£115
Double/Twin	£80	£90	£90	£80	£85	£100	£80	£75	£100	£90

FORFAIT CONFERENCE COMPRENANT:

* repas du soir à la table d'hôte * chambres grand luxe avec salles de bain * petit déjeuner traditionnel * location de la salle de conférence * service café du matin et thé de l'après-midi * déjeuner-buffet chaud * rafraîchissements à volonté * bonbons et menthes * blocs-notes et crayons * badges et cartons pour les participants * services du personnel spécialisé dans les conférences et réceptions * écran et tableau de présentation * accès libre à la piscine, aux sauna, jacuzzi et club de sport * équipement audio-visuel * sourires à volonté!

---

1 *Read the above list of services for business conferences and find the following information:*

a) List the meals and refreshments which are included in the price

b) List the business facilities available

c) List the services or objects provided to make the participants' day comfortable and pleasant

---

2 *Are the following sentences correct?*

a) Le prix d'une chambre pour deux personnes au Dalmahoy Hotel est cent dix livres

b) Le petit déjeuner est compris dans le prix

c) Le déjeuner est un buffet assis

d) La location de la salle est en plus

EXERCICES

1 Listen to the list of requests of this business executive, and tick the ones mentioned below.

a) buffet lunch for 25

b) a screen and a projector

c) sweets and pencils on the table

d) continental breakfast included

e) bar and fruit in each room

f) a room 10 m by 8 m

g) coffee for 35

h) access to the golf course

i) 24 hour fax service

j) free use of gymnasium

2 Consult the information given by the Tudor Park Hotel, and give the information required by a prospective customer. (This can be done as pair work.)

SI VOUS devez travailler, l'atmosphère tranquille du Tudor Park est presque parfaite. Les Salles de Réunions sont tres bien equipées avec les dernières nouveautés. Vous apprécierez aussi l'aide et les conseils du personnel responsable des conférences qui aura le plaisir de vous aider a l'organisation de votre réunion.

Les chambres exécutives qui ont des vues idéales sur le terrain de Golf ou les jardins a l'Anglaise sont d'un confort extrême et admirablement meublées.

La détente et la motivation sont aussi là pour l'enthusiaste: soit le choix du terrain de Golf, le Snooker, le Squash ou bien un peu plus "détendu" au Sauna ou Bain Turc.

– L'hôtel est calme?

– Il y a une belle vue des chambres?

– Et pour les loisirs?

– Quelles sont les dimensions de la salle Charlotte?

– Quelle est la capacité de la Thurham Suite comme salle de classe?

– Et pour le déjeuner?

– On peut faire une soirée pour cent personnes?

– Quelle est la longueur d'une salle de séminaire?

– Il y a combien de salles de séminaires?

– La Thurham Suite est au rez-de-chaussée?

SALLES DE RÉUNIONS ET CAPACITÉS

NOM DE SALLE	Thurnham Suite	Thurnham Suite — Thurnham Room	Lenham Room	Charlotte Room	Bearsted Room	Stockbury Room	Langley Room	Syndicate Room x 4
ETAGE	1	1	1	1	Ground	Ground	Ground	Ground
DIMENSIONS								
Longeur	24.6	10.9	10.9	10.9	10.9	8.3	8.3	4.9
Largeur	10.9	8.5	7.5	8.5	7.7	4.2	4.2	3.5
Parterre	264	92.6	81.5	93.1	84.8	35.0	35.0	17.6
Hauteur	3.1	3.1	3.1	3.1	2.5	2.5	2.5	2.5
CAPACITÉS								
Théatre	300	70	50	70	90	35	35	15
Salle de Classe	140	50	40	50	50	20	20	-
Salle de Réunion	-	55	45	55	55	25	25	12
Déjeuner/Diner	300	80	45	80	60	25	25	12
Diner/Danse	250	-	-	-	100	-	-	-
Réception/Soirées	350	90	60	90		40	40	20

SITUATION B: *Mme Lebrun fait une réservation pour un séminaire d'une journée*

VOCABULAIRE	

VOCABULAIRE

une salle de classe/de réunion	*a classroom/meeting-room*
un tableau mobile	*a flip-chart*
un rétroprojecteur	*an overhead projector*
un écran	*a screen*
louer	*to hire*
en supplément	*in addition*
avoir besoin	*to need*

(Au téléphone, au service des réservations d'affaires)

EMPLOYÉ: . . . et c'est pour combien de personnes?

MME LEBRUN: Cinquante personnes.

EMPLOYÉ: Vous voulez une salle de conférence, de classe ou de réunion?

MME LEBRUN: Quelles sont les dimensions de la salle de conférence?

EMPLOYÉ: Dix mètres quatre-vingt-dix sur huit mètres cinquante. La capacité de la salle est de soixante-dix personnes.

MME LEBRUN: D'accord, réservez-la. Et comme équipement?

EMPLOYÉ: Nos salles sont équipées de tableaux mobiles ou de rétroprojecteurs.

MME LEBRUN: Il est possible d'avoir un écran et projecteur vidéo?

EMPLOYÉ: Oui, il faut les louer en supplément.

MME LEBRUN: Quel est le tarif?

EMPLOYÉ: Un instant, je vais le chercher . . . voilà, ça fait trente-cinq livres par jour.

MME LEBRUN: Oui, ça va, alors réservez-les pour nous.

EMPLOYÉ: Nous avons aussi un service de photocopie si vous en avez besoin.

MME LEBRUN: Oui, nous allons peut-être l'utiliser.

EMPLOYÉ: N'hésitez pas à faire appel à nos services, demandez Andrew Craven . . .

MME LEBRUN: Bien, je vous remercie, à lundi prochain.

EXPLICATIONS

Avoir besoin de *(to need)*

Il a besoin de boire   *He needs a drink*

How to avoid repeating a word already mentioned

Study the examples below:

Réservez-**la** (la salle)   Il faut **les** louer (les projecteurs)
Je vais **le** chercher (le tarif)   Nous allons **l'**utiliser (la photocopieuse)

You will have noticed that you simply keep the article (le/la/l'/les) *corresponding to the word you don't want to repeat.*
Note: le/la/l'/les *replacing a noun are normally placed before the verb.*

Je **le** vois   Je ne **le** vois pas   Ne **le** touchez pas!

But, when the sentence is an order or a request, they are placed after the verb.

Apportez-le!

How to say 'per' (day/month etc.)

Les Anglais embrassent leur femme
une fois **par** an!

Les Français embrassent leur femme
vingt fois **par** jour!

INFO!

- Avoid using imperial measures with continental visitors to whom they mean nothing.

COMPREHENSION

HOTEL REGENCE

CENTRE D'ACCUEIL ET D'AFFAIRES

Heures d'ouverture   :   Du lundi au vendredi   8.00 – 17.00

TARIFS DES PRESTATIONS (TVA comprise)

Dictée/dactylo	:	£10.00 par heure	
Télécopie : Expédition	:	Royaume-Uni première page:	£2.50
		pages suivantes:	£0.75
		Etranger première page:	£3.50
		pages suivantes:	1.25
Réception	:	Gratuit	
Téléphone portable	:	location à la journée:	£25.00
Photocopie	:	Papier A4/la page:	£0.15
	:	Papier A3/la page:	£0.20
	:	Collation:	£15.00
Service emballage cadeau	:	sur demande	

---

a) Can you send faxes abroad?

b) What are the photocopying charges?

c) What can you hire per day?

d) Do they do text processing?

e) Is the business service available at all times?

f) Are the prices all inclusive?

g) What is the charge for receiving messages?

EXERCICES

 1 *Alter the following sentences by removing the nouns and replacing them with the pronoun* le/la/l'/les.

  a) Vous avez la clé? → Vous l'avez?

  b) Il apporte le dessert

  c) Je reçois la télécopie

  d) Nous payons l'addition

  e) Ils attendent les participants

  f) Vous confirmez la réservation

2 Jeu de rôle: play the part of the sales executive giving information about business facilities in response to a client's enquiries. (Use this brochure and the price list from the previous page).

24-Hour Conference Package

The following facilities are included in the cost of a 24-Hour Conference Package at any Country Club Hotel.
- First Class accommodation with private bathroom.
- Dinner with coffee plus full English breakfast.
- Conference room hire and assistance from conference executive.
- Morning coffee, lunch with a selection of menus followed by afternoon tea and biscuits.
- Fruit cordials in the conference room.
- Hospitality Bar (drinks charged as taken), bowls of sweets and mints, special conference note pads and pencils.
- Delegates' place cards, flip charts and display boards.
- Country Club Membership with free use of swimming pool and sauna plus access to the Country Club.
- Certain A/V equipment.

DAY MEETINGS
(Minimum 10 Delegates)
The day meeting rate includes all the facilities shown for the 24-hour conference package but excludes dinner, accommodation and breakfast.

BREAKFAST MEETINGS
All our hotels are conveniently located next to motorway junctions. Take an early morning dip or workout in the fitness studio and start your busy day with a breakfast meeting at a Country Club Hotel.

SITUATION C: *Mme Aubert paie sa note et quitte l'hôtel*

VOCABULAIRE

j'espère que ma note est prête	*I hope my bill is ready*
nous allons vérifier	*we are going to check*
des consommations/des digestifs	*drinks/after-dinner drinks*
vous avez raison	*you are right*
c'est vrai	*it is true*
j'ai oublié	*I have forgotten*
mon mari	*my husband*
ça ne fait rien	*it does not matter*
un séjour	*a stay*

RÉCEPTIONNISTE: Bonjour Madame, je peux vous aider?

MME AUBERT: Chambre 327, Madame Aubert, j'espère que ma note est prête.

RÉCEPTIONNISTE: Oui, elle est prête, voilà Madame . . .

MME AUBERT: Je pense qu'il y a une erreur, vous êtes sûr que c'est bien ma note?

RÉCEPTIONNISTE: Chambre 327, oui c'est cela. Où est l'erreur? Nous allons vérifier.

MME AUBERT: Il y a trente cinq livres en plus du repas de lundi soir, et dix-huit livres de téléphone . . .

RÉCEPTIONNISTE: Alors, les trente-cinq livres sont pour des consommations, vous avez certainement commandé du vin et des digestifs?

MME AUBERT: Ah, oui, vous avez raison.

RÉCEPTIONNISTE: Et pour le téléphone, nous avons enregistré un appel pour la France dimanche soir, d'une durée de douze minutes.

MME AUBERT: Mais oui, c'est vrai, j'ai oublié, j'ai appelé mon mari. Je suis tout à fait désolée . . .

RÉCEPTIONNISTE: Ça ne fait rien Madame. Des erreurs, ça arrive! Alors bon voyage et merci de votre séjour!

EXPLICATIONS

Good wishes

These are often preceded by bon.

Bon séjour	Bon appétit!	Bonne route!	Bonne journée
Enjoy your stay!	*Enjoy your meal!*	*Have a good journey!*	*Have a good day!*

Note: beware of the words journée *(day) in French, and journey (voyage) in English!*

Some other common ways of expressing wishes:

A votre santé!   Félicitations!   Enchanté(e)!

Possessive adjectives *(my, your, his/her, your, their)*

In French, these agree with the thing owned and not with the person who owns the object.

My = ma/mon/mes	**ma** voiture	**mon** mari	**mes** bijoux
His/her = sa/son/ses	**sa** femme	**son** bureau	**ses** lunettes
Your = votre/vos	**votre** note		**vos** clés
Their = leur/leurs	**leur** hôtel		**leurs** clients

- Note that when talking about the bill at a hotel, use the word *note* or *facture*; in a restaurant it is usually called *l'addition*. (See Unit 10.)

COMPREHENSION

1 *Complete the following sentences with the missing possessive adjectives.*

   a) C'est Jacqueline? Non, c'est . . . . . fille.

   b) L'hôtel est excellent, ... clients sont toujours contents.

   c) Quel est le numéro de la chambre? . . . . . numéro est le 18.

   d) Vous avez un passeport? Oui, voilà . . . . . passeport.

   e) Voilà . . . . . chambre, Madame.

   f) Les clients sont arrivés, mais où sont . . . . . valises?

   g) Vous avez garé . . . . . voiture? Oui, dans le parking.

   h) Je voudrais . . . . . note tout de suite s'il vous plaît.

2 *Read this information about payment at a French hotel, and try and translate it.*

Le service cordon vert

COUNTRY CLUB HOTELS

GARANTISSEZ VOTRE RÉSERVATION

VOUS POUVEZ GARANTIR VOTRE RÉSERVATION À TOUTE HEURE. UNE SEULE CONDITION POUR CELA:

Payer votre réservation ▪ *par chèque envoyé à l'hôtel*
▪ *par téléphone en donnant votre numéro de carte bleue ou carte Visa International.*

TOUTE RÉSERVATION GARANTIE NON ANNULÉE AVANT 19H EST COMPTÉE COMME VENTE ET LA PREMIERE NUIT EST FACTURÉE À VOTRE COMPTE.

EXERCICES

 1 Listen to the tape, and list the various complaints and compliments made by the two customers.

Reclamations   *Compliments*

 2 Respond with an appropriate phrase to the following situations.

       a) Arrival of new clients

       b) Client complaining

       c) Client complains about bill

       d) Client expresses praise

       e) Client leaving

       f) Client retiring to bed

 3 Jeu de rôle: play the part of the hotel receptionist in this conversation.

      – *(Tell the client that his bill is ready.)*

      – Merci, voilà ma carte American Express.

      – *(Thank him, ask him if the conference was good.)*

      – Oui, très intéressant, merci. Et l'hôtel est très confortable, je vous remercie.

      – *(Say that you hope that the conference will be at the hotel next year.)*

      – J'espère que oui, le cadre est parfait, et votre service excellent.

      – *(Thank him again and wish him a pleasant journey.)*

      – Merci bien, au revoir Mademoiselle.

Now listen to the tape again, and practise your pronunciation.

ASSIGNMENT I

(This assignment can be attempted after studying Unit 3. Dictionaries may be used.)

You work at a Tourist Information Office. You are often approached by French tourists who require information about hotels and restaurants and places of interest. The following tasks will help you to put what you have learned in Units 1, 2 and 3 into practice.

Task One *(Listening and writing)*

Listen carefully to the following answerphone message from a French tourist and fill in the information below. You can listen to the message as many times as you wish.

Name: Mr/Mrs/Miss: ....

Number of double rooms: ....

Number of single rooms: ....

Number of rooms with shower: ....

Number of rooms with bathroom: ....

Telephone number: ....

Task Two *(Reading and explaining an English text in French)*

You have looked through the various hotels to find something suitable. Many of the hotels are fully booked. Working in pairs, simulate a telephone call to a French tourist to recommend the hotel opposite and answer any questions he/she may have. Before you make your phone call, look up any words you do not know in your dictionary.

POINTERS HOTEL

Elegant Georgian Town House. 5 minutes from Westgate city wall. Private Car Park off Forty Acres Road.
All bedrooms have shower or bathroom, colour TV, telephone, radio, tea and coffee making facilities.
The public rooms include a lounge, bar and restaurant.
Bed and Breakfast
Double/Twin from £21 per person.
Single from £30
LATE NIGHT ARRIVALS WELCOMED
Full Central Heating
Location — corners of Whitstable and London roads and St Dunstan's Street.
**1 LONDON ROAD
CANTERBURY 0227-456846**

Task Three *(Reading and explaining a French text in English)*

The chairman of your town's twinning committee is organising an exchange with the town of Liessies in Belgium. He does not speak any French and has a few questions about the hotel, as the committee hopes to visit Liessies soon. Read the advertisement below and answer his questions:

a) When was the hotel built?

b) What type of building is it?

c) Can the hotel cater for receptions?

d) Do all the rooms have a direct telephone line?

e) Is it possible to hold seminars there?

H O T E L - R E S T A U R A N T

Chateau de la Motte ★★

59740 LIESSIES

Réservation ☎ 27.61.81.94

*Ancienne Maison de Retraite
des Moines de l'Abbaye de Liessies
Construite en 1725, elle fut transformée en
Château après la Révolution*

*Grand Parc - Adosse à la Forêt
A 3 kms du Lac du Val Joly*

Salles pour Lunchs, Banquets,
Séminaires, et toutes Réceptions
Chambres avec téléphone direct
Pension.

★

de Belgique 00.33.27.61.81.94

Task Four *(Listening and speaking)*

You are accompanying a party of French visitors on a coach trip to Hever Castle. Working in pairs, look at the information below and answer the visitors' questions.

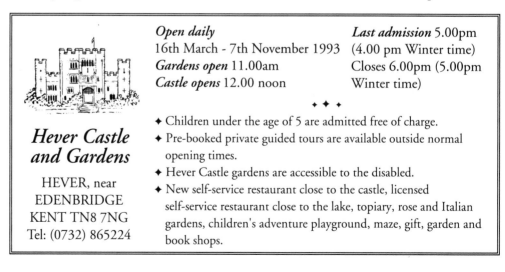

*Hever Castle
and Gardens*

HEVER, near
EDENBRIDGE
KENT TN8 7NG
Tel: (0732) 865224

Open daily
16th March - 7th November 1993
Gardens open 11.00am
Castle opens 12.00 noon

Last admission 5.00pm
(4.00 pm Winter time)
Closes 6.00pm (5.00pm
Winter time)

✦ ✦ ✦

✦ Children under the age of 5 are admitted free of charge.
✦ Pre-booked private guided tours are available outside normal opening times.
✦ Hever Castle gardens are accessible to the disabled.
✦ New self-service restaurant close to the castle, licensed self-service restaurant close to the lake, topiary, rose and Italian gardens, children's adventure playground, maze, gift, garden and book shops.

ASSIGNMENT 2

(This assignment can be attempted after studying Unit 6. Dictionaries may be used.)

You work for Eurotrips Ltd of 14 Wellington Road, Great-Green, Derbyshire. You are organising a three-day visit to France for a group of 55 senior citizens. One of their days will be spent at the Bagatelle Pleasure Park in Merlimont. In order to cost the whole trip, you have to price that excursion. Then, you will have to finalise bookings etc. in accordance with the information received from France, and the requirements of your customers.

Task One (*Listening and speaking*)

a) Simulate a telephone call with M. Fauquembergue at Bagatelle and ask him for information (including information concerning activities particularly suitable for older visitors). Ask him to send you all the information (don't forget to give your name and address).

b) In the course of the conversation, M. Fauquembergue will mention a list of activities he recommends for senior visitors. Make a note of this list as it will help you to plan the activities with the group leader.

Task Two (*Reading and writing*)

You have now received a form which you have to send back for more details. Fill in the form overleaf and keep a copy for your records.

© 1993 MF. Noël, V. Davies, C. Nicholas *French for Leisure & Tourism Studies* Hodder & Stoughton Publishers Ltd

Bagatelle

Parc d'Attractions - Zoo
CD 940
62155 MERLIMONT

DEMANDE DE DOCUMENTATION

Pour toute demande de documentation, nous vous remercions de bien vouloir nous retourner cet imprimé dûment rempli.

NOM : ....

SOCIÉTÉ : ....

ADRESSE : ....

.... Tél. : ....

DATE DE LA DEMANDE : ....

Nous désirons recevoir les documents suivants :

Nombre : .... Brochure groupes et tarifs

.... Bons de réservation

.... Guide du parc (anglais, français, 30 pages, format 16 x 23).

.... Poster (40 x 50)

.... Tracts 4 couleurs (paquet de 100, format 15 x 21)

.... Présentoir de comptoir cartonné pour tracts

OBSERVATIONS ÉVENTUELLES : ....

....

Demande à adresser à : **Monsieur H. FAUQUEMBERGUE**
BAGATELLE S.A.
C.D. 940 - 62155 MERLIMONT

Pour toute demande de renseignements complémentaires, veuillez contacter par téléphone le Service Accueil

Tél. 21.94.60.33 - Télex : BAGATEL 135 238 F - Télécopie : 21.84.43.64

Task Three *(Explaining a French text in English)*

On receiving the information (see opposite and overleaf) you can now discuss the alternatives with the group leader (ideally you discuss this with him/her, but if a meeting is impossible, you will have to send him this information in writing):

a) give him/her the general information about opening dates and admission prices for senior citizens

b) explain the general booking conditions to him/her (group fees, cancellations, special conditions on some days)

c) explain the three choices of menus offered and the prices

d) explain the two types of bookings possible

Bagatelle

Tarif 1992

BAGATELLE accueille toute l'année sauf du 22 décembre 1992 au 6 janvier 1993, les groupes en banquets ou repas à thèmes (de 30 à 1.000 personnes et plus).

TOUTES LES ATTRACTIONS DU PARC SONT INCLUSES A VOLONTE DANS LE PRIX D'ENTREE

PARC OUVERT

Les mercredi, samedi, dimanche
- du 11 avril au 15 avril
- du 12 septembre au 27 septembre 1992.

TOUS LES JOURS

- du 18 avril au 19 septembre
- de mars à septembre possibilité de recevoir tous les jours, les groupes sur réservation.

TARIF GROUPES (par personne)

GROUPES EN AUTOCAR (C.E., ASSOCIATIONS DIVERSES) .... **56^F**
1 accompagnateur gratuit/50

ECOLES, LYCEES ET CENTRES AERES (de 5 à 16 ans) .... **43^F**
1 accompagnateur gratuit/10*

ECOLES MATERNELLES, GROUPES HANDICAPES .... **38^F**
1 accompagnateur gratuit/10*

GROUPES DU 3e AGE (voir offre spéciale) .... **30^F**
1 accompagnateur gratuit/50

* Tarif scolaires et écoles: sauf dimanche, jours de fêtes et vacances scolaires.

Renseignements pratiques
BAGATELLE est situé sur la Côte d'Opale à 5km de la mer entre Berck et Le Touquet, sur la C.D.940.
Le parc est à :
- 12 km du Touquet
- 72 km de Calais
- 92 km d'Amiens
- 135 km de Lille
- 205 km de Paris
Service réservation :
Tél: 21.94.60.33
Télex: BAGATELLE 135238F
Minitel: 21.84.44.44
Fax: 21.84.43.64

Pour tous les groupes nous précisons:
- Les tarifs indiqués s'appliquent aux groupes de 30 personnes minimum en autocars.
- Le vaste parking ombragé est gratuit pour les cars.
- Pour toute réservation définitive, veuillez nous confirmer par courrier 20 jours minimum avant la date choisie, et nous envoyer 30% d'arrhes.
- L'entrée et le repas du chauffeur sont pris en charge par BAGATELLE.
- Pour des raisons techniques ou de sécurité, certaines attractions sont fermées entre 12 et 13 heures et par temps d'orage ou de pluie violente, ou ne fonctionnent qu'en alternance.
- De nombreuses attractions sont abritées et fonctionnent même par temps de pluie.
- Les visiteurs du Parc sont priés de respecter les consignes générales intérieures de sécurité.

Possibilité d'hébergement ou de circuits touristiques en groupes dans la région, veuillez consulter notre service Réservation.

© 1993 MF. Noël, V. Davies, C. Nicholas *French for Leisure & Tourism Studies* Hodder & Stoughton Publishers Ltd

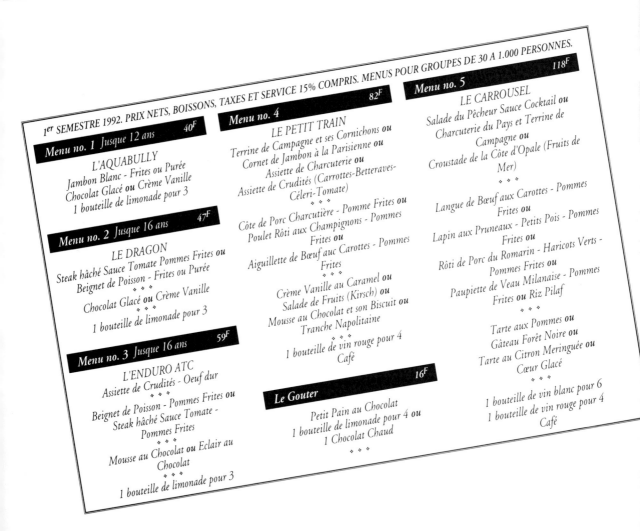

1er SEMESTRE 1992. PRIX NETS, BOISSONS, TAXES ET SERVICE 15% COMPRIS. MENUS POUR GROUPES DE 30 A 1.000 PERSONNES.

Menu no. 1 *Jusque 12 ans* 40F

L'AQUABULLY
*Jambon Blanc - Frites ou Purée
Chocolat Glacé ou Crème Vanille
1 bouteille de limonade pour 3*

Menu no. 2 *Jusque 16 ans* 47F

LE DRAGON
*Steak hâché Sauce Tomate Pommes Frites ou
Beignet de Poisson - Frites ou Purée*
⋄ ⋄ ⋄
Chocolat Glacé ou Crème Vanille
⋄ ⋄ ⋄
1 bouteille de limonade pour 3

Menu no. 3 *Jusque 16 ans* 59F

L'ENDURO ATC
Assiette de Crudités - Oeuf dur
⋄ ⋄ ⋄
*Beignet de Poisson - Pommes Frites ou
Steak hâché Sauce Tomate -
Pommes Frites*
⋄ ⋄ ⋄
*Mousse au Chocolat ou Eclair au
Chocolat*
⋄ ⋄ ⋄
1 bouteille de limonade pour 3

Menu no. 4 82F

LE PETIT TRAIN
*Terrine de Campagne et ses Cornichons ou
Cornet de Jambon à la Parisienne ou
Assiette de Charcuterie ou
Assiette de Crudités (Carrottes-Betteraves-
Céleri-Tomate)*
⋄ ⋄ ⋄
*Côte de Porc Charcutière - Pomme Frites ou
Poulet Rôti aux Champignons - Pommes
Frites ou
Aiguillette de Bœuf auc Carottes - Pommes
Frites*
⋄ ⋄ ⋄
*Crème Vanille au Caramel ou
Salade de Fruits (Kirsch) ou
Mousse au Chocolat et son Biscuit ou
Tranche Napolitaine*
⋄ ⋄ ⋄
*1 bouteille de vin rouge pour 4
Café*

Le Gouter 16F

*Petit Pain au Chocolat
1 bouteille de limonade pour 4 ou
1 Chocolat Chaud*
⋄ ⋄ ⋄

Menu no. 5 118F

LE CARROUSEL
*Salade du Pêcheur Sauce Cocktail ou
Charcuterie du Pays et Terrine de
Campagne ou
Croustade de la Côte d'Opale (Fruits de
Mer)*
⋄ ⋄ ⋄
*Langue de Bœuf aux Carottes - Pommes
Frites ou
Lapin aux Pruneaux - Petits Pois - Pommes
Frites ou
Rôti de Porc du Romarin - Haricots Verts -
Pommes Frites ou
Paupiette de Veau Milanaise - Pommes
Frites ou Riz Pilaf*
⋄ ⋄ ⋄
*Tarte aux Pommes ou
Gâteau Forêt Noire ou
Tarte au Citron Meringuée ou
Cœur Glacé*
⋄ ⋄ ⋄
*1 bouteille de vin blanc pour 6
1 bouteille de vin rouge pour 4
Café*

Combine 3ᵉ Age

COMBINE VERMEIL 160ᶠ

LA JOURNEE DE VOS AINES POUR 160ᶠ TOUT COMPRIS:
CE COMBINE VOUS PROPOSE:

- **L'accés au parc** avec la visite du zoo, **les attractions** et les spectacles.
- **Le menu Carrousel** agrémenté d'un potage offert.
- **L'animation musicale et dansante** pendant et après le repas + spectacle**.
- **Le goûter servi à table** ou mis à votre disposition dans les autocars pour le retour.

1 combiné accompagnateur est offert par 50 participants.

DE CE COMBINE VERMEIL

OFFRE SPECIALE 130ᶠ

Aux groupes du 3ᵉ Age déjeunant ou dînant en banquet les lundi, mardi, jeudi ou vendredi (sauf jours fériés), du 11 avril au 31 mai et du 9 septembre au 27 septembre.

S'élancer dans la grande farandole, applaudir les spectacles.
** SPECTACLES DU 18 AVRIL AU 9 SEPTEMBRE DANS LA SALLE DE RESTARUANT.
Si vous préférez voyager en train, nous vous organiserons les navettes entre les gares d'Etaples et de Rang-du-Fliers.

Task Four (Writing in French)

The group leader comes back to you, having chosen the 'Carrousel' menu, with the following options for the group:

- Soup
- Crab and fish salad
- Roast pork with rosemary, green beans and chips
- Lemon tart
- Red wine for 25
- White wine for 30
- some water

Write a list of these dishes in French to send with your booking form.

© 1993 MF. Noël, V. Davies, C. Nicholas *French for Leisure & Tourism Studies* Hodder & Stoughton Publishers Ltd

Task Five *(Filling in a French form)*

Fill the form in ready to send to Bagatelle with all the details required.

Bagatelle

LE PARC   D'ATTRACTIONS-ZOO
C.D. 940   62155 MERLIMONT
TEL. 21 94 60 33 - FAX : 21 84 43 64
TELEX : 135 238 F

A RETOURNER 20 JOURS MINIMUM AVANT LA DATE DE VOTRE VISITE ..../......./1992

VOTRE BON DE RESERVATION 1992

NOM	RAISON SOCIALE
FONCTION	TÉL.	FAX
ADRESSE		
CODE POSTAL	VILLE	

BAGATELLE ACCORDE DES GRATUITES AUX ACCOMPAGNATEURS. REPORTEZ-VOUS AUX RUBRIQUES 1, 5, 6, 7, 9 DE LA PLAQUETTE 1992.

A TARIFS GROUPES "ENTRÉES SIMPLES"

ASSOCIATIONS, C.E.	pers. × 56FF	=	FF
● SCOLAIRES, CENTRES AÉRES (de 5 à 16 ans)	pers. × 43FF	=	FF
● ECOLES MATERNELLES, GROUPES HANDICAPÉS	pers. × 38FF	=	FF
GROUPE DU 3ᵉ AGE	pers. × 30FF	=	FF

TOTAL A = ... FF

B RESTAURATION

- MENU N° 1 AQUABULLY (jusque 12 ans)	pers. × 40FF	=	FF
- MENU N° 2 DRAGON (jusque 12 ans)	pers. × 47FF	=	FF
- MENU N° 3 L'ENDURO (jusqu'à 16 ans)	pers. × 59FF	=	FF
- MENU N° 4 LE PETIT TRAIN	pers. × 82FF	=	FF
- MENU N° 5 LE CARROUSEL	pers. × 118FF	=	FF
- MENU N° 6 LE SPLATCH	pers. × 144FF	=	FF
- MENU N° 7 LA MAROTTE	pers. × 160FF	=	FF
- GOUTER	pers. × 16FF	=	FF
- SPÉCIAL GOUTER	pers. × 22FF	=	FF
- FORFAIT APÉRITIF + DIGESTIF	pers. × 22FF	=	FF
- FORFAIT FROMAGE DE BRIE	pers. × 10FF	=	FF
- NOUVEAU : PANIER REPAS BAGGY BURGER	pers. × 25FF	=	FF

TOTAL B = ... FF

SI VOUS CHOISISSEZ ENTREES ET RESTAURATION A + B = ... FF

C NOS COMBINES "LES TOUT COMPRIS"

NOM DU RESPONSABLE ....
NOMBRE DE PARTICIPANTS PRÉVUS .... PERSONNES
(MINIMUM 30 PERSONNES)
ACCOMPAGNATEUR(S) GRATUIT(S) .... PERSONNES

● COMBINE BABYLAND SPÉCIAL SCOLAIRE	pers. × 98FF	=	FF
● COMBINE BABYLAND C.E.	pers. × 112FF	=	FF
● COMBINE DÉTENTE	pers. × 126FF	=	FF
● COMBINE GROUPE	pers. × 185FF	=	FF
COMBINE VERMEIL	pers. × 160FF	=	FF
OFFRE SPÉCIALE COMBINE VERMEIL	pers. × 130FF	=	FF

TOTAL C = ... FF

D ACCES AUX 2 CENTRES "COMBINES DUO"

● BAGACLUB			
- C.E. ASSOCIATIONS	pers. × 104FF	=	FF
- SCOLAIRES, CENTRES AÉRES	pers. × 80FF	=	FF
● BAGANAUSICAA			
- C.E. ASSOCIATIONS	pers. × 88FF	=	FF
- SCOLAIRES, CENTRES AÉRES	pers. × 65FF	=	FF
- MATERNELLES, HANDICAPÉS	pers. × 60FF	=	FF
- 3ᵉ AGE	pers. × 63FF	=	FF
● BAGALUD			
- C.E. ASSOCIATIONS	pers. × 96FF	=	FF
- SCOLAIRES, CENTRES AÉRES	pers. × 74FF	=	FF

TOTAL D = ... FF

RESERVATION DEFINITIVE APRES CONFIRMATION ECRITE DU PARC.

FAIT A .... LE ....

SIGNATURE

J'AI PRIS CONNAISSANCE DE L'ENSEMBLE DE VOS CONDITIONS GÉNÉRALES DE VENTE REPRISES AU VERSO ET JOINS A MA RÉSERVATION, LE RÈGLEMENT DES ARRHES (30%), LE SOLDE LE JOUR DE NOTRE VENUE OU A RÉCEPTION DE FACTURE.

TOTAL GENERAL = ... **FF**

ASSIGNMENT 3

(This assignment can be attempted after studying Unit 9. Dictionaries may be used.)

You work at the Historic Dockyard at Chatham, Kent. You receive an answerphone message from a M. Baloge, a teacher from a school in Lille, who would like to arrange a day trip to the Dockyard for a group of French children who will be on a week's exchange visit to Kent in April.

Task One *(Listening and speaking)*

a) Simulate a telephone call to M. Baloge, and find out his requirements (dates, numbers etc.). Use the proforma opposite to help you complete the information you require. Don't forget to make a note of the date of the proposed visit and the number in the group (adults and children).

b) Using the information below, respond to M. Baloge's questions. At the end of the conversation you promise to send him a brochure.

Education Service Information Request

If you would like to make an educational booking (See: Special Education Facilities on page 3) and require further details, either telephone the Historic Dockyard's Education Service on 0634 812551 or fill in the coupon below:

Name _____

School _____

Address _____

_____

_____ Postcode _____

Telephone _____

Return, using the Freepost service, to: Education Service, The Historic Dockyard, Chatham, Kent ME4 4TE

REDUCED RATES FOR SCHOOLS
- ■ Special price £1.50 per pupil
- ■ One adult free per 10 pupils
- ■ Additional adults at £1.50
- ■ FREE preliminary visits for teachers planning fieldwork
- ■ Guided Tours: £15 (× 30 pupils per guide)

OPENING HOURS – SUMMER: 29th March to 31st October 1992
Wed, Thurs, Fri, Sat, Sun 10 am-6.30 pm
WINTER: 1st November 1992 to 27th March 1993
Wed, Sat and Sun 10 am-4.30 pm

LOCATION: The Historic Dockyard, Chatham is situated in North Kent, only an hour from London or Dover and is close to the M2, M20, M25.

For detailed list of Education Service leaflets, and museum publications contact:
The Education Service, Chatham Historic Dockyard, Chatham, Kent ME4 4TE.
Tel: (0634) 812551. Fax: (0634) 826918.

THE HISTORIC DOCKYARD
Chatham, Kent

Task Two *(Explaining an English text in French)*

You receive a letter from M. Baloge confirming his group booking. He has enclosed part of the brochure you sent which he has not fully understood. Ideally you explain these points to him over the phone, but if this is not possible, you will have to send the information in writing.

Practical Information

● **Undercover Picnic Area:** The Fitted Rigging House, part of the large storehouses alongside the river, can be opened by arrangement, for school groups to eat packed lunches. Schools wishing to use the area, should book a time through the Education Service.

Task Three *(Reading and writing)*

a) M. Baloge has expressed an interest in seeing some demonstrations. Using the publicity material in English and French, write down in both languages **two** suggested demonstrations and **one** other place of interest within the Dockyard that the group may like to visit.

Démonstrations

L'un des clous de votre visite sera la célèbre corderie de Chatham long de 344 mètres, dans laquelle une démonstration fascinante montre comment entortiller des torons pour fabriquer une corde en utilisant des machines datant en 19ième siècle. Dans l'atelier Voiles et Drapeaux,  des gréeurs et des voiliers montrent leurs talents d'épissure et de nouage de corde. Vous verrez des fabricants en train de coudre des drapeaux colorés pour des pays et sociétés du monde entier. Vous aurez l'occasion d'essayer de faire des noeuds et de déferler un drapeau. Dans les Ateliers Artisanaux, vous pourrez observer au travail des artistes et des artisans y compris des peintres et des sculpteurs, des potiers, des sculpteurs sur bois, des fabricants de meubles et des orfèvres. On vous propose un choix de restauration sur place: une cafétéria pour les plats chauds, un snack bar, ou même pique-nique en plein air ou couverte. Il y a trois boutiques de cadeaux à thème pour des souvenirs indispensables, plus de nombreuses places de parking gratuites pour les voitures et les cars.

Demonstrations

The Historic Dockyard is Alive With Surprises. At the Ropery see how the strands are twisted together to make rope whilst in the Sail & Colour Loft, rope and wire is spliced by hand and the brightly coloured flags are stitched together. Have a go at knot tying or breaking out a flag. In the Ordnance Mews Craft Workshops and Medway Heritage Foundry, see crafts people at work. **Times of demonstrations are displayed daily at the Visitor Centre reception.**

---

b) As his group will be visiting the Dockyard during the morning, M. Baloge has also asked you to suggest some nearby places of interest which could be visited in the afternoon. Look at the publicity material in French and English, and write down in French (with brief explanations in English) places to which he might wish to take his group.

Le **château de Rochester** est l'un des plus beaux exemples de l'architecture militaire normande en Grande Bretagne. Juste en face, **la Cathédrale de Rochester**, la deuxième d'Angleterre par ordre d'ancienneté, possède une très belle crypte et une grande collection de peintures à l'huile médiévales.

Le **Centre Charles Dickens** célèbre la vie et l'époque du grand romancier du 19ème siécle qui a été étroitement lié à la ville. Dans la rue principale, le plus beau bâtiment municipal du 16ème siècle du Kent, le **Musée Guildhall** présente aus visiteurs l'histoire de la ville et de sa rivière, et à Watt's Charity vous pouvez voir comment depuis des siècles on offre l'hospitalité au 'voyageurs pauvres'. A Chatham, **Fort Amherst** est l'une des plus belles forteresses de l'époque Napoléonienne en Grand Bretagne avec plus de 2 000 mètres de tunnel, des casernes du 18ème siècle, une salle des gardes et de garnison à explorer. A côté, le **Musée des Royal Engineers** retrace l'histoire du génie militaire en temps de guerre et de paix, et le **Centre d'héritage de la Medway** raconte l'histoire de la Rivière Medway.

If you are looking for true heritage and the perfect day out (or longer!) then why not visit the dramatic Norman Castle? Where King John used the fat of 40 pigs to save his bacon! Or Rochester Cathedral, the second oldest in the country. Then there is the superbly restored Victorian High Street which is home to the 17th century Guildhall Museum and award winning Charles Dickens Centre where you can enter the grim reality and curious world of the great Victorian novelist, whose links with the city can be found everywhere. Take a boat trip along the River Medway by paddlesteamer or river bus to the Historic Dockyard at Chatham where Britain's 'Hearts of Oak' were built. Or to the country's finest Napoleonic fortress, Fort Amherst, with its 2 000 yards of tunnels, and military re-enactment. Along with the colourful and lively festivals, superb tea rooms and shops, 2 000 years of history is just waiting to be discovered.

Task Four (*Explaining an English text in French*)

HOW TO GET TO THE HISTORIC DOCKYARD
BY ROAD
Chatham is only an hour's drive from London, and a short distance from the M25. Follow the signs for Chatham A229 from M20 junction 6. The Historic Dockyard is signposted from the M2 junction 3.
BY RAIL
Frequent direct train services from London Victoria and Charing Cross (45-60 minute journey time) or Ramsgate and Dover, with taxi or bus service from Chatham's BR station to the Dockyard.
BY AIR
Gatwick Airport is 60 minutes and Heathrow 1½ - 2 hours. Helicopter landing facilities are available at the Historic Dockyard.
BY RIVER
Pier and mooring facilities may be made available.
BY SEA
Sheerness (Olau Line) is just 30 minutes away with both Dover and Folkestone just 1 hour's drive.
CAR PARKING
Ample space for car and coach parking is available. Parking is free.

Several days before the group is due to visit, you receive a telephone call from M. Baloge who enquires about directions to the Dockyard from Dover, and also about parking facilities for the coach.

Coach Drivers
Don't forget, your very own restroom is now open adjacent to the coach park. You are also entitled to free admission and lunch!

Use the information below to help you answer his queries.

ASSIGNMENT 4

SCENARIO

(This assignment can be attempted after studying Unit 12. Dictionaries may be used.)

You are employed at Leeds Castle in Kent. A party from Belgium wishes to attend the famous June/July open air concerts in the Castle grounds. Another party from France wants to book places for a 'Kentish evening'. You are in charge of the arrangements.

Task One (Listening and speaking)

a) A French-speaking secretary rings from Belgium to find out details of the concert. Use the following information to answer her queries.

b) Complete the booking form with the information obtained from your caller.

OPEN AIR CONCERTS
Saturdays 27th June & 4th July 1992

I would like to reserve the following tickets:

No.	Type of Ticket	Total £	Office Use Ticket Nos
	Saturday 27th June Open Air Concert ticket(s) without seat @ £18.50		
	ticket(s) with seat @ £22.50		
	Saturday 4th July Open Air Concert ticket(s) without seat @ £18.50		
	ticket(s) with seat @ £22.50		
	souvenir programme(s) @ £2.50 each		Despatch Date
	TOTAL AMOUNT	£	/92

Please tick here if, subject to availability, you would like to automatically book for the other Open Air Concert date, should your first choice date be unobtainable.

Please note that tickets will be posted to you 2 weeks before the date of the concert.
Tickets once booked are non-returnable/refundable or transferable.

Cheques/Postal Orders made payable to "Leeds Castle Enterprises Ltd". Method of payment (please tick appropriate box):

Cheque/Postal Order ☐   Credit Card ☐

Credit Card Type: AMEX/VISA/BARCLAYCARD/ACCESS

Credit Card No: ☐☐☐☐☐☐☐☐☐☐☐☐☐☐☐☐

Credit Card Expiry Date: ___ / ___ / ___

Signature: ....

Name ....

Address ....

....

Tel: (STD Code ....)

Please complete and return this form, together with a SAE, to:
Box Office, Leeds Castle, Maidstone, Kent ME17 1PL

OPEN AIR CONCERTS

Saturday 27th June and Saturday 4 July
(Castle and grounds closed during the day of these events)
The ever popular Leeds Castle Annual Open Air Concerts will again be held on successive Saturdays. Carl Davis returns as conductor following his performance of Paul McCartney's acclaimed Liverpool Oratorio, and will preside over the Luxembourg RTL Symphony Orchestra and Brighton Festival Chorus. Special guest soloists will be tenor David Rendall and baritone Jonathan Summers.
Featuring a selection of classical favourites and stirring music, including works by Bizet, Verdi, Puccini and Strauss, both concerts will culminate with the traditional and spectacular 1812 Overture and Land of Hope and Glory, performed to the accompaniment of fireworks and the guns of the Royal Artillery. Gates open at 4pm, followed at 5.30pm by music from the Royal Artillery Band, prior to the start of the concerts at 8pm. A selection of concert merchandise and foods, champagne, wine, beer/minerals will all be on sale, whilst the Leeds Castle shop will be open for last minute picnic essentials: rugs, fine foods and hand-held Union Jacks.
Tickets by advance purchase only — no admission without a ticket. £18.50 per person (+ £4 with seat) **(See Box Office details below).**

The Box Office is open every day from 11am-5pm for postal and telephone sales, and also for counter sales from 16th March. Located within the main Castle car park, the Box Office is reached via the main B2163 entrance. Major credit cards accepted. Telephone (0622) 880008.
(See attached booking form)

Task Two *(Reading/translating into English and writing in French)*

You receive a letter from the French group about their booking.

a) Translate this letter into English.

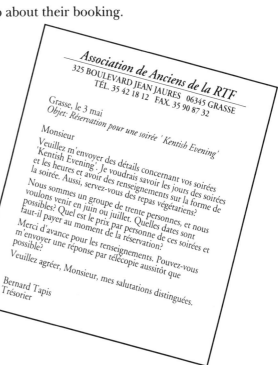

Association de Anciens de la RTF
325 BOULEVARD JEAN JAURES 06345 GRASSE
TÉL. 35 42 18 12   FAX. 35 90 87 32

Grasse, le 3 mai
Objet: Réservation pour une soirée 'Kentish Evening'

Monsieur

Veuillez m'envoyer des détails concernant vos soirées 'Kentish Evening'. Je voudrais savoir les jours des soirées et les heures et avoir des renseignements sur la forme de la soirée. Aussi, servez-vous des repas végétariens?

Nous sommes un groupe de trente personnes, et nous voulons venir en juin ou juillet. Quelles dates sont possibles? Quel est le prix par personne de ces soirées et faut-il payer au moment de la réservation?

Merci d'avance pour les renseignements. Pouvez-vous m'envoyer une réponse par télécopie aussitôt que possible?

Veuillez agréer, Monsieur, mes salutations distinguées.

Bernard Tapis
Trésorier

KENTISH EVENING DINNERS

Normally held on Saturdays throughout the year (except August), 7pm-12.30am. Kentish Evenings feature a 5-course dinner combined with a sherry reception, private tour of Leeds Castle and a half bottle of wine per person. Dinner is served in the Fairfax Hall, a former 17th century tithe barn and cludes a main course of roast foreribs of beef, carved by guests the table. *(Alternative vegetarian dishes can be provided)* ve, background music is played during dinner and, as coffee is rved, the entertainment changes tempo to an exciting mbination of folk music and barn dancing.

ne fully inclusive price is £33.75 per person and advance oking is essential, made by calling our Sales Office (0622) 5400. A non-refundable deposit is required to secure a servation for this function.

b) List your answers to their queries in French and use the information opposite to write a fax in reply.

Task Three *(Writing in French)*

Prepare a provisional programme in French for the visit of the Belgian group.

Task Four *(Speaking)*

On the day of the Kentish evening, greet the French group, accompany them to the Fairfax Hall Restaurant and explain the menu to them, before wishing them a pleasant evening.

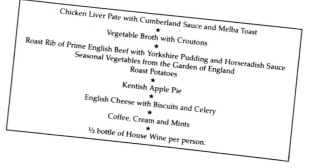

Chicken Liver Pate with Cumberland Sauce and Melba Toast
*
Vegetable Broth with Croutons
*
Roast Rib of Prime English Beef with Yorkshire Pudding and Horseradish Sauce
Seasonal Vegetables from the Garden of England
Roast Potatoes
*
Kentish Apple Pie
*
English Cheese with Biscuits and Celery
*
Coffee, Cream and Mints
*
½ bottle of House Wine per person.

GLOSSARY

(m = masculine; f = feminine; pl = plural)

à	*to/at*	autobus (m)	*bus*
absolument	*absolutely*	autocar (m)	*coach*
accepter	*to accept*	avec	*with*
accueil (m)	*welcome*	avoir	*to have*
acheter	*to buy*	avoir mal	*to hurt/to be in pain*
à côté de	*beside/next to*	avril	*April*
addition (f)	*bill*		
adulte (m/f)	*adult*	badge (m)	*badge*
affaires (fpl)	*business*	balladeur (m)	*personal stereo*
aide (f)	*help*	ballet (m)	*ballet*
aider	*to help*	bar (m)	*bar*
aimable	*pleasant/nice*	bassin (m)	*pool*
aimer	*to like/love*	bateau (m)	*boat*
aire (f)	*area*	beaucoup	*much/very much*
aller	*to go*	bébé (m)	*baby*
aller-retour (m)	*return ticket*	belge	*Belgian*
aller simple (m)	*single ticket*	besoin (m)	*need*
allô	*hello (on phone)*	bien	*well*
allumette (f)	*match*	bien-être (m)	*well-being*
alors	*so/then*	bien sûr	*of course*
animaux (mpl)	*animals*	bijoux (mpl)	*jewels/jewellery*
anniversaire (m)	*birthday*	billet (m)	*ticket*
Angleterre (f)	*England*	blanc(he)	*white*
annonce (f)	*announcement*	bleu	*blue*
annuler	*to cancel*	blessé	*hurt*
août	*August*	bloc-notes (m)	*note-pad*
appel (m)	*call*	boisson (f)	*drink*
appeler	*to call*	boîte (f)	*box*
apporter	*to bring*	bon(ne)	*good*
après	*after*	bonbon (m)	*sweet*
après-demain	*the day after tomorrow*	bonjour	*good morning/afternoon*
après-midi	*afternoon*	bonne journée	*have a good day*
argent (m)	*money/silver*	bon voyage	*have a good journey*
arrêt (m)	*stop*	bouquet (m)	*bouquet/bunch*
arrivée (f)	*arrival*	bord (m)	*edge*
arriver	*to arrive*	bouteille (f)	*bottle*
ascenseur (m)	*lift*	brochure (f)	*brochure*
assez	*enough/quite*	bureau (m)	*office/desk*
assis	*seated*		
assistance (f)	*assistance*	ça	*that*
assister	*to attend*	cachemire (m)	*cashmere*
attendre	*to wait*	cadeau (m)	*present*
attention!	*look out!*	ça fait	*that comes to/makes*
aujourd'hui	*today*	café (m)	*coffee*
au lieu de	*instead of*	caisse (f)	*cash desk/till*
au nom de	*in the name of*	camping (m)	*campsite*
au revoir	*goodbye*	ça ne fait rien	*that doesn't matter*
aussi	*also/as well*	carafe (f)	*jug*

caravane (f)	caravan	confiture (f)	jam
carotte (f)	carrot	consigne (f)	left luggage office
carte bleue (f)	credit card	consommations (fpl)	drinks (in bar)
carte postale (f)	postcard	continuer	to continue/carry on
carton (m)	locker	convenir	to suit
casino (m)	casino	coordonnées (fpl)	name and address/details
casque (m)	helmet/headphones	corde (f)	rope
cassis (m)	blackcurrant	correct	correct
ça va	that's OK	côté (m)	side
cela vaut	that's worth	cottage (m)	cottage
cent	one hundred	couleur (f)	colour
centre (m)	centre	courage (m)	courage
centre de loisirs	leisure centre	courgettes (fpl)	courgettes
centre de sports/sportif	sports centre	court de tennis (m)	tennis court
centre-ville (m)	town centre	couteau (m)	knife
cerise (f)	cherry	coûter	to cost
certainement	certainly	couverture (f)	blanket
c'est	it is	crayon (m)	pencil
chaise (f)	chair	crème (f)	cream
chambre (f)	(bed)room/hotel room	crevette (f)	prawn
champignon (m)	mushroom	crocodile (m)	crocodile
chance (f)	luck/chance	croque-monsieur (m)	cheese + ham toasted
changement (m)	change		sandwich
chapeau (m)	hat	cuiller (f)	spoon
chaque	each	cuir (m)	leather
chat (m)	cat	cuit	cooked
château (m)	castle		
chaud	hot	d'accord	OK/all right
chaussures (fpl)	shoes	dactylo (f)	typist
chef (m)	chief/head/chef	daim (m)	suede
cher/chère	expensive/dear	danger (m)	danger
chercher	to look for	dans	in
chocolat (m)	chocolate	debout	standing/upright
choisir	to choose	décembre	December
choses (fpl)	things	dehors	outside
chou (m)	cabbage	déjeuner (m)	lunch
choux de Bruxelles (mpl)	Brussels sprouts	déjeuner	to have lunch
chou-fleur (m)	cauliflower	délégué (m)	delegate
cidre (m)	cider	dépôt (m)	warehouse
cigarettes (fpl)	cigarettes	demain	tomorrow
cinéma (m)	cinema	demander	to ask (for)
cinq	five	demi-heure (f)	half hour
cinquante	fifty	de rien	you're welcome
ciel (m)	sky	derrière	behind
clé (f)	key	descendre	to go down
club (m)	club	désirer	to want
coca (m)	coke	désolé(e)	sorry
cognac (m)	brandy	dessert (m)	dessert
combien	how many/much	de temps en temps	from time to time
commander	to order	deux	two
comme	like	devant	in front of
comment	how	devoir	to have to/owe
commentaire (m)	commentary	diable (m)	devil
comprendre	to understand	diapositives (fpl)	slides
concert (m)	concert	dictée (f)	dictation
confirmer	to confirm	différence (f)	difference

169

différent	*different*	faire appel	*to call upon*
digestifs (mpl)	*liqueurs (after dinner drinks)*	famille (f)	*family*
dimanche	*Sunday*	faut (il)	*it is necessary/you have to*
dîner (m)	*dinner*	fauteuil roulant (m)	*wheelchair*
dîner	*to have dinner*	femme (f)	*wife/woman*
direction (f)	*direction*	femme de chambre (f)	*chambermaid*
distributeur	*distributor/vending machine*	ferme (f)	*farm*
dix	*ten*	ferry (m)	*ferry*
dix-neuf	*nineteen*	février	*February*
docteur (m)	*doctor*	feux (mpl)	*traffic light*
donner	*to give*	fiche (f)	*slip/form*
dorade (f)	*sea bream*	filets (mpl)	*fillets*
douve (f)	*moat*	fille (f)	*girl/daughter*
douze	*twelve*	fils (m)	*son*
droite	*right*	flèche (f)	*arrow*
durée (f)	*duration*	foire (f)	*fair*
durer	*to last*	fois (f)	*time/occasion*
		fond (au)	*(at the) bottom/end*
eau minérale (f)	*mineral water*	forfait (m)	*fixed price*
écharpe (f)	*scarf*	fourchette (f)	*fork*
écouteur (m)	*head/earphones*	fraise (f)	*strawberry*
écran (m)	*screen*	français	*French*
écrit	*written*	frites (fpl)	*chips*
église (f)	*church*	froid	*cold*
emballage (m)	*packaging*	fromage (m)	*cheese*
embrasser	*to kiss*	fruits (mpl)	*fruits*
emplacement (m)	*pitch/site*	fumé	*smoked*
employé(e) (m/f)	*employee*		
en cas de	*in case of*	gamme (f)	*range*
encombrant	*awkward/bulky*	garçon (m)	*boy*
enfant (m)	*child*	gare (f)	*station*
en	*in*	garni	*garnished*
enlever	*to take off*	gauche (f)	*left*
endroit (m)	*place*	genou (m)	*knee*
enregistrer	*to record*	glace (f)	*ice-cream*
en tout	*in all*	gomme (f)	*eraser*
entre	*between*	grand	*large/big*
entrée (f)	*entrance/entry*	Grande-Bretagne (f)	*Great Britain*
entrer	*to enter*	gratin (m)	*cheese topping*
environ	*about*	gratuit	*free*
envoyer	*to send*	grave	*serious*
erreur (f)	*mistake/error*	gros(se)	*fat*
espagnol	*Spanish*	groupe (m)	*group/party*
et	*and*	guide (m)	*guide-book/guide*
étagère (f)	*shelf*	guidé	*guided*
été (m)	*summer*		
étudiant (m)	*student*	hamburger (m)	*hamburger*
événement (m)	*event*	handicapé	*handicapped*
exactement	*exactly*	haricots (mpl)	*beans*
excusez-moi	*excuse me*	haut	*high*
expliquer	*to explain*	haut-parleur (m)	*loudspeaker*
exposition (f)	*exhibition*	hésiter	*to hesitate*
		heure (f)	*hour/time/o'clock*
facturer	*to invoice*	hier	*yesterday*
faim (avoir)	*to be hungry*	historique	*historic*
faire	*to do/make*	hiver (m)	*winter*

homme (m)	man	mai	May
homme d'affaires (m)	businessman	mais	but
hors (de question)	out (of the question)	maison (f)	house
hôtel (m)	hotel	maître-nageur (m)	lifeguard
huit	eight	mal (avoir)	to hurt/feel pain
		manteau (m)	coat
ici	here	marcher	to walk/to work (of machine)
il y a	there is/are	mardi	Tuesday
immédiatement	immediately	mardi gras	Shrove Tuesday
impériale (autobus à)	double-decker	mari (m)	husband
indiqué	signposted	marquer	to mark
infirmier (m)	nurse	marron	brown
instant (m)	moment	mars	March
intéressant	interesting	matin (m)	morning
		mauvais	bad
jacuzzi (m)	jacuzzi	même	same/even
jamais (ne)	never	menthe (f)	mint
janvier	January	menu (m)	menu/set meal
jardin (m)	garden	merci	thank you
jaune	yellow	mercredi	Wednesday
je	I	mercredi des Cendres	Ash Wednesday
jeu (m)	game	mettre	to put
jeudi	Thursday	miel (m)	honey
jour (m)	day	mixte	mixed
jour férié	bank holiday	moi	me
journée (f)	day (whole day)	moins	less
juillet	July	mois (m)	month
juin	June	monnaie (f)	change
jus d'orange (m)	orange juice	monsieur (m)	Mr/Sir
		monter	to go up
là-bas	over there	morceau (m)	piece
laine (f)	wool	moutarde (f)	mustard
lait (m)	milk	moyen	medium
lapin (m)	rabbit	moyen-âge (m)	Middle Ages
large	broad/wide	musée (m)	museum
légumes (mpl)	vegetables	musique (f)	music
libre	free/available		
ligne (f)	line	nageur (m)	swimmer
limonade (f)	lemonade	navré(e)	very sorry
liquide (m)	cash	ne . . . pas	not
lit (m)	bed	ne . . . plus	no longer
livre (f)	pound	neuf	nine
location (f)	hire/rental	ni . . . ni	neither . . . nor
loi (f)	law	noir	black
loin	far	nom (m)	name
loisirs (mpl)	leisure	nombre (m)	number
long	long	non	no
longtemps	a long time	note (f)	bill
longueur (f)	length	noter	to note
louer	to hire/rent	novembre	November
lundi	Monday	nuit (f)	night
lunettes (fpl)	glasses	numéro	number
machine à sous (f)	fruit machine	objet (m)	object
madame (f)	Mrs/Madam/Ms	obligé	obliged
mademoiselle (f)	Miss	occupé	engaged

octobre	*October*	poireau (m)	*leek*
oeuf (m)	*egg*	poisson (m)	*fish*
oignon (m)	*onion*	poivre (m)	*pepper*
omelette (f)	*omelette*	pomme (f)	*apple*
or (m)	*gold*	pommes de terre (fpl)	*potatoes*
orange (f)	*orange*	pont (m)	*bridge*
ou	*or*	porc (m)	*pork*
où	*where*	portable	*portable*
oublier	*to forget*	porte (f)	*door*
ouverture (f)	*opening*	portefeuille (m)	*wallet/purse*
		portier (m)	*porter*
paille (f)	*straw*	pose (f)	*exposure*
pain (m)	*bread*	possible	*possible*
pané	*breadcrumbed*	poste de secours (m)	*first-aid post*
panneau (m)	*road sign*	poterie (f)	*pottery*
paquet (m)	*packet*	poubelle (f)	*bin*
parc (m)	*park*	poulet (m)	*chicken*
parc d'attractions (m)	*theme park*	pour	*for*
pardon	*excuse me/sorry*	pour cent	*per cent*
parfait	*fine*	pourquoi	*why*
par ici	*round here/this way*	pousser	*to push*
parking (m)	*car park*	poussette (f)	*buggy/pushchair*
parler	*to speak*	précédent	*previous*
partir	*to depart/leave*	premier/première	*first*
pas du tout	*not at all*	prendre	*to take/have (meal)*
passeport (m)	*passport*	préparer	*to prepare*
passer	*to pass (by)*	près de	*near*
pâté (m)	*paté*	prestation (f)	*service*
payer	*to pay*	prêt	*ready*
pellicule (f)	*film*	prévoir	*to forecast/foresee*
pendant	*while/during*	principal	*main*
penser	*to think*	printemps (m)	*spring*
perdre	*to lose*	privé	*private*
perdu	*lost*	prix (m)	*price*
permis de conduire (m)	*driving licence*	problème (m)	*problem*
personne (f)	*person*	prochain	*next*
petit	*small/little*	produits (mpl)	*products*
petit déjeuner (m)	*breakfast*	programme (m)	*programme*
petits pois (mpl)	*peas*	promenade (f)	*walk*
peu (un)	*a little/a few*	pub (m)	*pub*
peur (avoir)	*fear/to be afraid*	puis	*next/then*
photocopie (f)	*photocopy*	purée (f)	*mashed potatoes/puree*
pièce (f)	*coin*		
pied (à)	*(on) foot*	quai (m)	*quay*
piscine (f)	*swimming pool*	quand	*when*
place (f)	*seat*	quarante	*forty*
plage (f)	*beach*	quart d'heure (m)	*quarter of an hour*
plan (m)	*plan/map*	quartier (m)	*district/area*
plastique	*plastic*	quatre	*four*
plat (m)	*dish*	quatre-vingt-dix	*ninety*
plein air (m)	*open air*	quatre-vingts	*eighty*
plonger	*to dive*	que	*that/than*
plus	*more*	qu'est-ce que c'est?	*what is it?*
plusieurs	*several*	qu'est-ce qu'il y a?	*what's the matter?*
poché	*poached*	quel	*what/which*
poire (f)	*pear*	quelque chose	*something*

quelquefois	sometimes	séjour (m)	stay
quelqu'un	someone/somebody	sel (m)	salt
question (f)	question	semaine (f)	week
questionnaire (m)	questionnaire	septembre	September
quitter	to leave	service (m)	service
quotidien	daily	semaine (f)	week
		sept	seven
raison (avoir)	to be right	serveur/serveuse (m/f)	waiter/waitress
rapide	fast	serviette (f)	serviette/towel
raquette (f)	racquet	servir	to serve
reçu (m)	receipt	seulement	only
réduction (f)	reduction	si	if
regarder	to look at/watch	siècle (m)	century
régime (m)	diet	signer	to sign
région (f)	region/area	s'il vous plaît	please
remercier	to thank	six	six
remplir	to fill	soie (f)	silk
renseignement (m)	information	soif (avoir)	to be thirsty
repas (m)	meal	soir (m)	evening
répéter	to repeat	soirée (f)	(whole) evening
répondre	to answer	soixante	sixty
réservé	reserved	soixante-dix	seventy
réserver	to reserve	sole (f)	sole
restaurant (m)	restaurant	sorbet (m)	sorbet
rester	to stay	sortir	to go out
retraité (m)	retired person	soupe (f)	soup
rétroprojecteur (m)	overhead projector	sous	under
rez-de-chaussée (m)	ground floor	sourire	to smile
rien	nothing	souris (f)	mouse
romarin (m)	rosemary	souvent	often
rouge	red	sport (m)	sport
rognons (mpl)	kidneys	suivant	following
rose	pink	suivre	to follow
rôti	roast	supplément (m)	supplement/extra
route (f)	road	sur	on
		sûr	sure
sac (m)	bag		
saignant	rare (of meat)	table (f)	table
salle (f)	room/hall	tableau (m)	board/chart
salle à manger (f)	dining room	taille (f)	size
salle de bains (f)	bathroom	Tamise (m)	Thames
salle de classe (f)	classroom	tarif (m)	tariff
salle de réunion (f)	meeting room	tarte (f)	tart
salon (m)	sitting room	tasse (m)	cup
samedi	Saturday	télécopie (f)	fax
sandwich (m)	sandwich	téléphone (m)	telephone
sauce (f)	sauce	téléphoner	to telephone
saucisse (f)	sausage	temps (m)	time
saucisson (m)	sausage (salami type)	terrain de jeux (m)	playground
sauna (m)	sauna	thé (m)	tea
sauté	fried/sauted	théâtre (m)	theatre
sauter	to jump	timbre (m)	stamp
savoir	to know	toilettes (fpl)	toilets
savon (m)	soap	tomate (f)	tomato
séché	dried	tomber	to fall
séchoir à houblon (m)	oast house	toujours	always

tour (m)	*tour/visit*	vente (f)	*sale*
tourner	*to turn*	venir	*to come*
tout	*all*	vérifier	*to check*
tout droit	*straight on*	verre (m)	*glass*
tout le monde	*everybody*	vert	*green*
tout de suite	*straightaway/immediately*	vestiaires (mpl)	*dressing-room/cloakroom*
traditionnel	*traditional*	vêtements (mpl)	*clothes*
train (m)	*train*	veuillez (+ *verb*)	*please (+ verb)*
trajet (m)	*route/journey*	viande (f)	*meat*
traverser	*to cross*	vide	*empty*
trente	*thirty*	vie (f)	*life*
très	*very*	vieux/vieille	*old*
très bien	*very well*	ville (f)	*town*
trois	*three*	vin (m)	*wine*
trop	*too much/too many*	vinaigre (m)	*vinegar*
trouver	*to find*	vingt	*twenty*
T-shirt (m)	*T-shirt*	visite (f)	*visit*
typiquement	*typically*	visiteur/visiteuse (m/f)	*visitor*
		voir	*to see*
un/une	*a/an/one*	voiture (f)	*car*
utiliser	*to use*	vouloir	*to want*
		vous	*you*
		voyage (m)	*journey*
vague (f)	*wave*	vrai	*true*
valise (f)	*suitcase*	vue (f)	*view*
vanille (f)	*vanilla*		
varié	*varied*		
vélo (m)	*bike*	y	*there*
vendeur/vendeuse (m/f)	*sales assistant*		
vendredi	*Friday*	zoo (m)	*zoo*

KEY

Unit 1

SITUATION A

Exercices

1 a) ii b) i c) iii d) v e) iv f) vi
2 au revoir–goodbye; bonsoir–good evening;
merci–thank you; bonne nuit–good night

SITUATION B

Compréhension

The French policeman is confused at the
Englishman's polite 'thank you'!

Exercices

1 a) z b) r c) l d) b e) g f) i g) e h) i
2 a) Marie b) Marcel c) Florence
d) Williams e) Georges f) Johnson
3 6, 10, 4, 9, 8, 5, 2, 3
4 True: b, c, e   False: a, d

SITUATION C

Compréhension

1 a) iii b) v c) i d) ii e) iv
2 a) ii b) i c) v d) iv e) iii

Exercices

1 True: b   False: a, c, d
2 a) où est la salle à manger? b) où est le
salon? c) où sont les toilettes? d) où est la
chambre? e) où est la salle de bains?

Unit 2

SITUATION A

Compréhension

1 1c 2a 3b

Exercices

1 a) oui, il y a beaucoup de châteaux b) oui, il
y a beaucoup d'expositions c) oui, il y a
beaucoup de choses à voir ou à faire d) oui, il y
a beaucoup de brochures
2 a) ii b) iii c) i
3 a) ii b) iv c) iii d) i

SITUATION B

Exercices

1 True: c   False: a, b
2 a) le b) un, des c) votre
4 a) un (1) b) trois (3) c) dix (10) d) deux
(2) e) cinq (5)

SITUATION C

Compréhension

Hôtel César

Exercices

1 True: a, c, d   False: b
2 a) tournez à droite b) prenez la A10 c) allez
à la gare d) allez au restaurant e) continuez
tout droit f) tournez à gauche
3 a) au b) à la c) aux d) à l'

Unit 3

SITUATION A

Compréhension

2 a) £3.30 b) £3.40 c) £3.00 d) £2.60
e) £7.20 f) £4.40 g) £4.50 h) 50p

Exercices

1 True: a, c, d, f   False: b, e
2 17, 16, 20, 50, 15, 13, 18, 40, 14, 30, 19, 60
4 a) le b) les c) le d) le e) le f) la g) la
h) la i) l'

SITUATION B

Compréhension

1 a) salade mixte b) frites c) poulet pané en
petits morceaux d) salade verte e) sandwiches
variés f) croque-monsieur g) hamburger
h) omelette au fromage
2 a) de la b) de l' c) des d) de la e) des
f) des g) du h) des i) du j) du
3 a) je n'aime pas le poulet b) il n'y a pas de
bouteilles c) vous n'êtes pas prêts d) M.
Marchal n'a pas de cognac e) nous n'avons pas
le menu

Exercices

1 a) problème b) morceaux c) voudrais
d) salade e) prêts f) frites
Hidden word: poulet
2 Affirmative: a, d, f, h   Negative: b, c, e, g

SITUATION C

Compréhension

1 a) je n'ai pas de fourchette b) le vin est sur
la table c) Monique est à côté de Gérard d) le
téléphone est là-bas au fond e) il n'y a ni sel ni
poivre
2 a) à côté du b) près de c) sous d) entre
e) dans f) sur
3 a) il n'aime ni le poulet ni la salade b) il n'a
ni ketchup ni moutarde c) je n'aime ni la bière
ni le vin d) le sel n'est ni sur la table ni sur le
bar

Exercices

2 ×: d, e, f   √: a, b, c
3 d) the knife is under the chair e) the

cigarette machine is between the fruit machine
and the phone f) Jean-Pierre is next to
Suzanne

Unit 4

SITUATION A

Compréhension

1 Vrai: a, d, e   Faux: b, c, f
2 a) c'est gratuit b) c'est 50F c) c'est 75F
d) c'est gratuit e) c'est 50F

Exercices

1 Adults: £6.50
Senior citizens, disabled persons, students: £4.00
Children under 14: £3.50
Children under 5: free
Groups (10 or more): £4.50
School parties: £3.00
Family ticket: £18.00

SITUATION B

Compréhension

1 Oui: a, e, g   Non: b, c, d, f
2 a) avril b) manquer c) un spectacle
d) deux fois par jour e) en plein air
f) ouvert g) tous les jours
3 l'automne, janvier, février, mars, mai, juin,
juillet, août, octobre, novembre

Exercices

1 a) 6h 20 b) 9h 45 c) 11h 00 d) 8h 30
e) 13h 15 f) 15h 15 g) 17h 50 h) 19h 05

SITUATION C

Compréhension

1 Bagatelle: c, d, f, i, j, k, l
Leeds Castle: a, b, e, g, h
2 a) le b) le c) le d) le e) la f) la g) la
h) la i) les j) la k) les l) la m) le n) le
o) le p) le

Exercices

1 Boissons: a) 3 F 25 b) 4 F 50 c) 8 F
d) 2 F 75 e) 2 F 50 f) 2 F 75
Plats: g) 9 F 50 h) 6 F/8 F/10 F i) 12 F
j) 9 F 50/15 F k) 6 F 50 l) 7 F 75

U n i t 5

SITUATION A

Compréhension

a) 1 b) 2 c) 3

Exercices

1 a) Lemaire; Michel; 23 11 22 19; Thursday
11 pm; double+bath
b) Bigorneau; Pierre; 13 04 15 18; Wednesday
5.30 pm; single+shower
2 a) I would like a double room from the 12th
to the 16th of July
b) I would like a single room with bath for two
nights
c) Do you have a double room with shower from
the 11th to the 15th of April?
d) I would like a single room with shower from
the 4th to the 16th of March
3 yes, yes, no, no, no

SITUATION B

Compréhension

a) non b) oui, le soir c) oui, l'après-midi
d) oui, le soir e) oui, l'après-midi f) oui, le
soir g) oui, l'après-midi h) oui, le soir i) oui,
le soir j) non

Exercices

1 a) 17 March b) 27 February c) 1 July d) 4
October e) 14 November f) 20 January
2 £100, £88, £79, £90, £48, £24, £96, £86
3 a) Martinon b) Girard c) Laquerriere
d) Poniatowski e) Masson f) Nanterre
4 a) le 9 septembre b) le 29 août c) le 15
juillet d) le 16 février e) le 13 mars f) le 14
janvier

SITUATION C

Compréhension

a) 300 F b) 287 F per night c) yes if they share
the parents' room, 155 F per night d) 845 F
e) 23 December to 30 January f) telephone
and TV

Exercices

1 a) il faut prendre l'ascenseur! b) il faut
prendre le bus! c) il faut réserver une
chambre! d) il faut tourner à droite!
2 e, c, a, f, b, j, d

U n i t 6

SITUATION A

Compréhension

1 a) iii, iv b) iv c) i, ii, iii, iv d) ii, iii, iv
2 True: a, c, d   False: b

Exercices

1 Moins cher: a, b, d, e   Plus cher: c, f

SITUATION B

Compréhension

1 1c 2e 3f 4h 5i 6j 7a 8g 9b 10d

Exercices

1 a) follow; next to b) behind; between; zoo
c) restaurant; right; on the left d) straight; in
front of; 50 e) second; left; at the back of
2 a) devant vous, à côté de la bibliothèque
b) tournez à droite, passez la boutique, c'est sur
votre droite c) elle est à droite du château
d) au fond de la cour, à droite e) à droite,
entre le salon de thé et l'exposition f) entre
l'information et le salon de thé
3 a) cour b) exposition c) église
d) bibliothèque e) mur f) sortie g) tour
h) librairie i) salon de thé j) boutique
souvenirs
4 a) tournez à gauche b) c'est tout droit
c) devant vous d) derrière vous! e) attendez
ici! f) à côté du bar

SITUATION C

Compréhension

2 *cou* appears three times; *estomac* is missing

Exercices

1 Vrai: b, d, e   Faux: a, c

Unit 7

SITUATION A

Compréhension

1 a) Buckingham Palace b) Tower of London
c) Westminster Abbey d) St Paul's Cathedral
e) Piccadilly Circus
2 a) Boulogne; La Capelle b) 07.40 c) 19.00
d) Cars Sergent Tel: 21 83 32 09
3 a) dois b) doit c) doivent d) devez
e) dois f) devons

Exercices

2 a) demie b) six c) avance d) quarts
e) restaurant f) Londres g) billets h) allô
i) train
Hidden word: excursion

SITUATION B

Compréhension

1 a) 11th April to 30th June 1992 b) 50 francs
c) car d) a day e) by phoning 21 30 27 26
2 a) v b) iv c) vii d) viii e) ii f) i g) iii
h) vi

Exercices

2 a) veuillez entrer dans le bus b) vous voulez
bien descendre du bateau c) veuillez réserver
les billets d) vous voulez bien passer au
bureau e) veuillez prendre le reçu

SITUATION C

Compréhension

1 a) every afternoon except Mondays
b) 375 F c) 6 F d) 162 F e) from 3 pm to
7 pm f) 285 F
2 a) j'en ai quatre b) il en a un c) Mme
Delbecque en a trois d) elles en ont une e) ils
en ont deux paquets

Exercices

1 a) paquet b) boîte c) pellicule d) paquets
e) beaucoup
3 Pas: a, b, d   Plus: c, e

Unit 8

SITUATION A

Compréhension

Vrai: a, b, f, g   Faux: c, d, e

Exercices

1 *Map 1* Vrai: b, d   Faux: a, c
Map 2 Vrai: d   Faux: a, b, c
2 a) non, il va aller au restaurant aujourd'hui
b) non, il va prendre le train après-demain
c) non, il va visiter le château demain matin
d) non, elle va acheter des souvenirs cet après-
midi e) non, elle va arriver demain

SITUATION B

Compréhension

Requested: 2h, 3i, 4c, 6b, 8a   Allowed: 9g
Banned: 1j, 5e, 7f

Exercices

1 a) n'achetez pas de cigarettes b) ne tournez
pas à gauche c) ne sautez pas dans la piscine
d) ne portez pas de chaussures e) ne mettez
pas de casque f) ne poussez pas
3 incorrect sentences: a, d, g

SITUATION C

Compréhension

1 a) iii b) vii c) xv d) i e) x f) xii g) ii
h) xi i) iv j) xiv k) v l) xiii m) vi n) ix
o) viii
2 a) bleue b) petites c) grand d) noir
e) blancs f) bon g) inexpérimentées
h) perdue i) chers j) importante

Exercices

1 a) aux toilettes b) à l'accueil c) a l'accueil
d) à l'entrée du parc et dans les restaurants
e) au ranch
3 a) objets trouvés b) ascenseur c) téléphones
publics d) information touristes e) change-
bébé f) bureau de change
g) rafraîchissements h) toilettes handicapés
i) escalier roulant j) aire de pique-nique
k) vestiaire
4 a) rivière b) île c) jardin d) rameur

e) ferme f) tour (in a fair or a theme park)
g) maquette h) train

Unit 9

SITUATION A

Compréhension

a) oui, il y a une soirée d'opéra le 7 juin
b) pour le concert de jazz, les personnes
handicapées paient £3 (trois livres) c) £10 (dix
livres) d) oui, le repas est inclus dans le prix du
billet pour la soirée d'opéra e) l'après-midi de
jazz, ça commence à quatorze heures.

Exercices

1 True: d   False: a, b, c
2 a) Marc est le plus gros; Bruno est le plus
grand b) Henri est le plus gros; Jacques est le
plus grand

SITUATION B

Compréhension

True: a, b, c, d   False: e, f

Exercices

1 a) hors de question! b) certainement pas!
c) absolument pas! d) pas du tout
2 a) et Pierre? b) et si vous payez demain?
c) et si je réserve maintenant? d) et la voiture?
e) et ma chambre?

SITUATION C

Compréhension

Oui: a, b, c, d   Non: e, f

Exercices

1 a) there is an old castle b) there is a
beautiful swimming pool c) there is a nice
shop d) do you want to visit the old town?
2 a) jolie b) bonne c) petit d) petite
3 f, b, d, c, a, g, h, e

Unit 10

SITUATION A

Compréhension

1 a) iii b) ii c) vi d) v e) iv f) i
2 a) la magnifique campagne b) vins de fruits
anglais c) buffet chaud et froid d) le dîner
e) le lapin f) le faisan

Exercices

1 a) vi b) i c) iii d) iv e) ii f) v
2 a) un sorbet au cassis b) une mousse au
chocolat c) les légumes du jour d) une tarte
aux pommes e) une glace au café f) tous nos
plats sont garnis
3 a) tarte b) exactement c) cassis d) plats
e) champignons f) choux g) crevettes
h) haricots i) blanc j) petits
Hidden word: restaurant

SITUATION B

Compréhension

1 a) nous avons commandé le repas b) il a
téléphoné au restaurant c) elles ont réservé
une table d) vous avez choisi le saumon fumé
e) j'ai mangé du poisson
2 Order as seen on French menu: c, f, j, g, b, d,
i, a, e, h
3 je: f, i nous: b, k il: d, h, n, j vous: m, a
elles: l, c, e, g elle: d, h, n, j ils: l, c, e, g

Exercices

1 PAUL: pâté, chicken in red wine, apple tart,
red wine
YVONNE: white wine, soup, grilled salmon,
chocolate mousse
PIERRE: prawn cocktail, roast beef, cheese,
mineral water

SITUATION C

Compréhension

1 a) elle est entrée b) j'ai attendu c) ils ont
choisi d) nous sommes partis e) elles sont
arrivées f) il a commandé
2 a) Paul est arrivé à une heure b) le serveur
est venu à la table c) le serveur a donné un
menu à Paul d) Paul a choisi le plat du jour

e) le serveur est allé à la cuisine f) le serveur a apporté l'entrée
3 a) il n'est pas entré dans le bar b) elles n'ont pas choisi le pâté c) je n'ai pas terminé le dîner d) le Maître d'hôtel n'a pas fait ses excuses e) vous n'avez pas réservé une table f) Michel et Marie n'ont pas bien mangé

Exercices

1 one crème caramel too many
3 Affirmative: a, d, f, h, i   Negative: b, c, e, g

Unit 11

SITUATION A

Compréhension

1 i) c ii) e iii) a iv) b v) d
2 a) i) la fabrique de cordage ii) le centre des visiteurs iii) l'ancien chantier naval
b) i) 40 minutes ii) 30 minutes iii) 45 minutes
3 a) car museum b) gardens c) restaurant

Exercices

2 ne . . . pas: a, c
ne . . . que: b, d, e

SITUATION B

Compréhension

1 a) Friday b)i in winter 9 am to 12 noon and 1 to 5 pm b)ii in summer 2 to 6 pm on Saturdays and 10 am to 1 pm and 2 to 6 pm on Sundays and bank holidays c) includes price of entrance, guide and headphones d)i 75 FB d)ii 40 FB e) Shrove Tuesday, Ash Wednesday
2 entrée, guide, salle, visite, jardins, ouverture, exposition, casque, souvenir, tour, musée, historique

Exercices

1 a) souvent b) de temps en temps
c) quelquefois d) jamais

SITUATION C

Compréhension

1 a) en cachemire bleu b) en crocodile

marron c) en laine rouge d) en cuir noir
e) en daim vert
2 i) e ii) c iii) d iv) b v) a
3 a) suede wallets b) silk headscarves
c) cashmere scarves d) silver lighters
e) leather key-rings

Exercices

1 Jean found a leather wallet; Marie lost nothing; Pierre lost a gold lighter; Claire found a silk headscarf
3 b) we have lost a blue plastic bag c) she found a lighter in the restaurant

Unit 12

SITUATION A

Compréhension

1 a) evening meal; traditional breakfast; morning coffee; afternoon tea; hot buffet lunch; soft drinks all day long b) conference room; pads and pencils; badges and name plates; business staff; screen and flip chart board; audio-visual equipment c) luxury room with bathroom; free refreshments, sweets and mints; use of pool, sauna, jacuzzi and sports facilities; plenty of smiles around!
2 a) non, £90 b) oui c) oui d) non

Exercices

1 b, c, e, g, h, j

SITUATION B

Compréhension

a) yes b) 15p per A4 page, 20p per A3 page
c) portable telephones d) yes e) from Monday to Friday 8 am to 5 pm f) VAT included
g) free

Exercices

1 a) vous l'avez b) il l'apporte c) je la reçois
d) nous la payons e) ils les attendent f) vous la confirmez

SITUATION C

Compréhension

1 a) ma b) ses c) son d) mon e) votre
f) leurs g) votre h) ma

Exercices

1 Compliments: very calm; very fast and very
good service; splendid view over the golf course
and castle; delighted, will recommend it
Complaints: rooms not very comfortable; no TV
in bedroom; meals expensive and uninteresting;
will ask for a price reduction
2 a) Bonjour, messieurs-dames b) je suis
désolé c) je vais vérifier d) je vous remercie
e) au revoir monsieur/madame, et bonne
route f) bonne nuit madame/monsieur

Assignment 1

Task One

Name: Mrs Chatelet
No. of double rooms: 2
No. of single rooms: 0
No. of rooms with shower: 1
No. of rooms with bathroom: 1
Tel. no.: 20 16 15 11

Task Two

Interlocutor's brief: you are Mrs Chatelet. Ask the
following questions:
a) Il y a un parking? b) Il y a la télévision?
c) Il y a un bar? d) Il y a un restaurant? e) Il
y a le chauffage central?

a) Oui, il y a un parking b) Oui, il y a la
télévision c) Oui, il y a un bar d) Oui, il y a
un restaurant e) Oui, il y a le chauffage central

Task Three

a) 1725 b) a castle c) yes d) yes e) yes

Task Four

Interlocutor's brief: you are a French tourist
visiting Hever Castle. Ask the following
questions.
a) Il y a un restaurant? b) Il y a un parc pour
les enfants? c) Il y a quelque chose de
spécial? d) Je voudrais acheter quelque chose
pour ma femme. Il y a une boutique? e) Il y a
des jardins à visiter?

a) Oui, il y a un restaurant self-service b) Oui,
il y a un parc pour les enfants c) Oui, il y a
un/le labyrinthe d) Oui il y a une boutique
e) Oui, il y a des jardins à visiter

TAPESCRIPT

Unit 1

SITUATION A

bonjour   je voudrais réserver une chambre   s'il vous plaît/merci   pour une/deux personne(s)   c'est combien?   dix livres par personne   parfait   c'est à quel nom?   au revoir

M. MARTIN: Allô, le Bed & Breakfast 'Dover Castle'?
EMPLOYÉE: Oui, Monsieur.
M. MARTIN: Bonjour, Madame. Je voudrais réserver une chambre, s'il vous plaît?
EMPLOYÉE: Oui, Monsieur. Pour une personne?
M. MARTIN: Non, pour deux personnes.
EMPLOYÉE: Oui, Monsieur.
M. MARTIN: C'est combien?
EMPLOYÉE: Dix livres par personne.
M. MARTIN: Parfait.
EMPLOYÉE: C'est à quel nom?
M. MARTIN: Martin.
EMPLOYÉE: Merci, Monsieur.
M. MARTIN: Merci et au revoir, Madame.
EMPLOYÉE: Au revoir, Monsieur.

Explications

un une deux trois quatre cinq six sept huit neuf dix

Exercices

2 au revoir bonsoir merci bonne nuit

3 – Bonjour, Madame.
 – Bonjour, Madame.
 – Je voudrais une chambre.
 – Oui, c'est pour une personne?
 – Non. Une chambre pour deux personnes.
 – Oui.
 – C'est combien?
 – Neuf livres par personne.
 – Parfait.
 – C'est à quel nom?
 – Marchat.
 – Merci, Madame.
 – Merci et au revoir.

SITUATION B

j'ai/vous avez   au nom de   c'est ça   une nuit   seulement   d'accord   à deux lits   le petit déjeuner   est   de rien   la salle de bains

M. MARTIN: Bonjour, Madame.
EMPLOYÉE: Bonjour, Monsieur.
M. MARTIN: J'ai une réservation au nom de Martin. M A R T I N.
EMPLOYÉE: Ah oui, Monsieur. C'est pour deux personnes?
M. MARTIN: C'est ça.
EMPLOYÉE: Pour une nuit seulement?
M. MARTIN: Non, pour trois nuits.
EMPLOYÉE: Parfait. Vous avez la chambre numéro cinq.
M. MARTIN: D'accord.
EMPLOYÉE: C'est une chambre à deux lits.
M. MARTIN: Parfait.
EMPLOYÉE: . . . avec salle de bains.
M. MARTIN: Très bien. Merci, Madame.
EMPLOYÉE: De rien Monsieur.

Explications

A B C D E F G H I J K L M N O P Q R S T U V W X Y Z

je	I	nous	we
tu	you	vous	you
il	he	ils	they
elle	she	elles	they

Avoir

j'ai	tu as	il a	elle a
nous avons	vous avez	ils ont	elles ont

Exercices

1 a) z b) r c) l d) b e) g f) i g) e h) i

2 a) Marie b) Marcel c) Florence d) Williams e) Georges f) Johnson

3 six, dix, quatre, neuf, huit, cinq, deux, trois (6, 10, 4, 9, 8, 5, 2, 3)

4 – Bonjour, Madame.
 – Bonjour, Monsieur.
 – J'ai une réservation.
 – C'est à quel nom?

– Martin M A R T I N. C'est pour trois nuits.

– Oui, Monsieur. Vous avez la chambre numéro cinq. C'est une chambre à deux lits.

– C'est une chambre avec salle de bains?

– Oui, Monsieur. C'est une chambre avec salle de bains.

– Parfait. Merci, Madame.

5 – Bonjour, Madame.

– Bonjour, Monsieur.

– J'ai une réservation.

– C'est à quel nom?

– Lemaire L E M A I R E.

– C'est pour une nuit seulement?

– Non, pour deux nuits.

– Parfait, Monsieur. Vous avez la chambre numéro sept.

– C'est une chambre avec salle de bains?

– Oui.

– Parfait. Merci beaucoup.

SITUATION C

où est/sont? les toilettes la porte à droite à gauche derrière la salle à manger là-bas le salon devant merci beaucoup de rien

M. MARTIN: Pardon, Madame. Où es la chambre numéro cinq?

EMPLOYÉE: La chambre numéro cinq, c'est la porte à droite.

M. MARTIN: Et la salle de bains?

EMPLOYÉE: La salle de bains, c'est la porte à gauche.

M. MARTIN: Merci, Madame. Et les toilettes?

EMPLOYÉE: Derrière vous, Monsieur. Pour le petit déjeuner, vous avez la salle à manger.

M. MARTIN: Où est la salle à manger?

EMPLOYÉE: Là-bas, Monsieur.

M. MARTIN: Merci beaucoup. Il y a un salon?

EMPLOYÉE: Oui, devant vous.

M. MARTIN: Merci, Madame.

Explications

Etre

je suis	tu es	il est	elle est
nous sommes	vous êtes	ils sont	elles sont

Exercices

1 a) la salle de bains c'est la porte à gauche
b) le salon est devant M. Martin c) les toilettes sont derrière M. Martin d) la chambre c'est la porte à droite

2 a) où est la salle à manger? b) où est le

salon? c) où sont les toilettes? d) où est la chambre? e) où est la salle de bains?

3 – Bonjour, Monsieur.

– Bonjour, Madame.

– Où est la chambre numéro trois, s'il vous plaît?

– La chambre numéro trois est à gauche.

– Merci. Oú sont les toilettes?

– C'est la porte à droite.

– Et la salle de bains?

– C'est derrière vous.

– Merci beaucoup, Monsieur.

– De rien, Madame.

Unit 2

SITUATION A

je peux vous aider? sur la région bien sûr là-bas il y a beaucoup de choses à voir ou à faire des châteaux des musées des expositions voici le programme

TOURISTE: Bonjour, Monsieur.

EMPLOYÉ: Bonjour, Madame. Je peux vous aider?

TOURISTE: Oui, Monsieur. Vous avez des brochures sur la région, s'il vous plaît.

EMPLOYÉ: Bien sûr, Madame. Là-bas.

TOURISTE: Parfait. Monsieur . . .

EMPLOYÉ: Oui, Madame.

TOURISTE: Il y a beaucoup de choses à voir ou à faire?

EMPLOYÉ: Oui, Madame. Vous pouvez visiter des châteaux, des musées, des expositions ou vous pouvez faire des promenades dans le parc.

TOURISTE: Vous avez un programme?

EMPLOYÉ: Oui, voici le programme de la semaine.

TOURISTE: Parfait. Merci beaucoup, Monsieur.

EMPLOYÉ: De rien, Madame.

Exercices

1 a) il y a des châteaux? b) il y a des expositions? c) il y a des choses à voir ou à faire? d) il y a des brochures?

3 i) il y a une exposition? ii) vous avez des brochures? iii) vous pouvez réserver la chambre, s'il vous plaît? iv) il y a des châteaux?

4 – Bonjour, Madame.

– Bonjour, Monsieur.

– Vous avez des brochures sur la région?
– Oui, il y a beaucoup de brochures . . . là-bas.
– Très bien. Il y a des expositions à voir?
– Oui. Il y a quatre expositions. Voici le programme de la semaine.
– Merci. Et il y a un centre de sports?
– Oui. Il y a un centre de sports devant le musée.
– Parfait. Merci, Madame.
– De rien. Au revoir.

SITUATION B

un plan de la ville gratuit aussi coûte le
parc d'attractions le centre de loisirs le centre
de sports je prends cela fait voilà votre
monnaie bonne journée!

TOURISTE: Monsieur, s'il vous plaît. Vous avez un plan de la ville ou un guide?
EMPLOYÉ: Bien sûr, Madame. Voilà le plan de la ville. Il est gratuit.
TOURISTE: Merci. Et vous avez un guide aussi?
EMPLOYÉ: Il y a deux guides. Le guide Robert coûte cinq livres et le guide Johnson coûte sept livres vingt.
TOURISTE: Les deux sont en français?
EMPLOYÉ: Oui, Madame.
TOURISTE: Il y a un guide des restaurants?
EMPLOYÉ: Oui, Madame. Les restaurants, parcs d'attractions, centres de sports et centres de loisirs.
TOURISTE: C'est parfait. Je prends les deux.
EMPLOYÉ: Cela fait douze livres vingt.
TOURISTE: Voilà douze livres cinquante.
EMPLOYÉ: Et voilà votre monnaie. Au revoir, Madame, et bonne journée.

Explications

onze douze treize quartorze quinze seize
dix-sept dix-huit dix-neuf vingt
de l'argent du liquide des billets de la
monnaie des pièces

Exercices

2 a) voilà le plan de la ville b) il y a un guide
des restaurants? c) voilà votre monnaie

3 – Bonjour. Vous avez un plan de la ville?
  – Oui, Monsieur. Il est gratuit.
  – Vous avez un guide, aussi?
  – Bien sûr. Il y a deux guides.
  – C'est combien?
  – Le guide Smith est gratuit. Le guide Williams coûte deux livres.

– Je prends le guide Williams. Voilà cinq livres.
– Merci. Voilà votre monnaie.
– Merci et au revoir.
– Au revoir et bonne journée.

4 a) vous avez un plan de la ville? b) il y a
trois guides c) voilà dix livres d) il y a deux
restaurants e) voilà votre monnaie; cinq livres

SITUATION C

pour aller à . . . c'est (assez) loin cela vaut la
visite? du Moyen-Age une douve à pied/en
voiture prenez la route pour passez devant
l'église continuez tout droit la première à
gauche après, c'est indiqué

ETUDIANTE: Bonjour, Monsieur.
EMPLOYÉ: Bonjour, Mademoiselle.
ETUDIANTE: Je voudrais visiter le château de Moorwater. C'est dans le Kent?
EMPLOYÉ: Non, Mademoiselle. C'est dans le Sussex.
ETUDIANTE: Et pour aller à Moorwater? C'est loin?
EMPLOYÉ: Oui, c'est assez loin.
ETUDIANTE: Mais cela vaut la visite?
EMPLOYÉ: Bien sûr. Il date du Moyen-Age. Il y a une présentation audio-visuelle pour les visiteurs et il y a aussi une douve, un restaurant et une boutique.
ETUDIANTE: Et pour aller au château?
EMPLOYÉ: Vous êtes à pied ou en voiture?
ETUDIANTE: En voiture.
EMPLOYÉ: Très bien. Alors prenez la route pour Hawkhurst, passez devant l'église et tournez à droite. Continuez tout droit. Prenez la première à gauche. Après, c'est indiqué.
ETUDIANTE: Merci beaucoup.
EMPLOYÉ: De rien, Mademoiselle. Bonne journée!

Compréhension

Prenez la première à gauche. Continuez tout droit. Prenez la deuxième à gauche. Continuez tout droit. Tournez à gauche. C'est à droite.

Exercices

1 a) Le Moulin date du Moyen-Age. b) Il est à Londres. c) Il y a une douve. d) Le Moulin est très loin de la gare.

2 a) tournez à droite b) prenez la A10
c) allez à la gare d) allez au restaurant
e) continuez tout droit f) tournez à gauche

4 – Bonjour, Mademoiselle.
  – Bonjour, Monsieur.

– Pour aller à Londres, s'il vous plaît?
– C'est assez loin. Vous êtes en voiture?
– Oui.
– Prenez la A2.
– C'est à gauche?
– Non, vous tournez à droite.
– Merci beaucoup, Mademoiselle.
– De rien. Au revoir.

U n i t   3

SITUATION A

vous désirez?   commander   un verre de limonade   un jus d'orange   comme ça   j'ai très soif   ça fait trois livres trente   ils doivent   aller dans le jardin   pourquoi?   c'est la loi en Angleterre   je suis désolé(e)

SERVEUSE: Vous désirez Monsieur?
M. LECLOS: Bonjour Madame, je voudrais commander . . .
SERVEUSE: Oui, mais au bar monsieur.
M. LECLOS: Ah bon, alors je voudrais deux verres de limonade, un jus d'orange et une bière s'il vous plaît.
SERVEUSE: Une pinte de bière?
M. LECLOS: Une pinte?
SERVEUSE: Un verre comme ça.
M. LECLOS: Oui, j'ai très soif.
SERVEUSE: Ca fait trois livres trente . . . les enfants doivent aller dans le jardin.
M. LECLOS: Mais pourquoi?
SERVEUSE: C'est la loi en Angleterre, Monsieur, je suis désolée.

Explications
vingt   trente   quarante   cinquante   soixante

Compréhension
trois livres trente   trois livres quarante   trois livres   deux livres soixante   sept livres vingt   quatre livres quarante   quatre livres cinquante pence

Exercices
2 17, 16, 20, 50, 15, 13, 18, 40, 14, 30, 19, 60

3 – Je voudrais commander . . .
 – Vous devez commander au bar.
 – Ah, je voudrais une bière et un coca.
 – Vous voulez une pinte?
 – Oui, j'ai très soif.
 – Ça fait deux livres vingt.

– Les enfants doivent aller dans le jardin?
– Oui, c'est la loi en Angleterre.

SITUATION B

excusez-moi   voilà   prêt   qu'est-ce que c'est?   le poulet   pané   en petits morceaux   pas de problème   je n'aime pas   des frites   pour moi   en tout

M. BRIET: Excusez-moi Madame, vous avez un menu s'il vous plaît?
SERVEUSE: Oui bien sûr, voilà, Monsieur.
Dix minutes plus tard:
SERVEUSE: Vous êtes prêts, Madame, Monsieur?
M. BRIET: Qu'est-ce que c'est, *chicken nuggets*?
SERVEUSE: C'est du poulet pané en petits morceaux.
MME. BRIET: Je voudrais une omelette et une salade.
SERVEUSE: Oui Madame, pas de problème. Et pour Monsieur?
M. BRIET: Je n'aime pas la salade. Il y a des frites?
SERVEUSE: Bien sûr Monsieur.
M. BRIET: Alors, du poulet et des frites pour moi.
SERVEUSE: Très bien, ça fait six livres cinquante en tout.

Compréhension
1 salade mixte   frites   poulet pané en petits morceaux   salade verte   sandwichs variés   croque-monsieur   hamburger   omelette au fromage

Exercices
1 a) pas de problème b) en petits morceaux c) je voudrais d) une omelette et une salade e) vous êtes prêts f) un hamburger et des frites

2 a) vous avez le menu? b) il n'y a pas de frites c) nous ne sommes pas prêts d) ça fait trois livres e) il n'a pas d'enfants f) je voudrais une salade g) je n'aime pas le poulet h) il y a un problème

3 – Vous avez un menu s'il vous plaît?
 – Oui bien sûr. Voilà.
 – Qu'est-ce c'est le *Cheddar Ploughman's*?
 – C'est du fromage, une baguette et de la salade.
 – Une omelette et une salade mixte pour madame.
 – Pas de problème.
 – Et pour moi, un hamburger.

– Vous voulez des frites?

– Non, je préfère une salade verte.

– Très bien; ça fait quatre livres cinquante en tout.

SITUATION C

le jeune homme   ni . . . ni   une fourchette   un couteau   sur la table   à côté du bar   le sel et le poivre   au fond   la porte   entre   la machine à sous

SERVEUSE: Alors, le poulet et la salade mixte pour monsieur et madame.

M. BERTRAND: Merci.

SERVEUSE: Et un hamburger et des frites pour le jeune homme.

PIERRE: Merci. Madame, je n'ai pas de ketchup.

M. BERTRAND: Et moi, je n'ai ni fourchette ni couteau.

SERVEUSE: Excusez-moi. Tout est sur la table à côté du bar.

M. BERTRAND: Et le sel et le poivre?

SERVEUSE: Là-bas aussi avec les serviettes.

M. BERTRAND: Pardon, où sont les toilettes?

SERVEUSE: Les toilettes sont là-bas au fond. C'est la porte entre la machine à sous et le distributeur de cigarettes.

M. BERTRAND: Merci Madame.

Compréhension

2 a) le sel est à côté du poivre b) le couteau est près de la bouteille c) la serviette est sous la table d) Pierre est entre Marie et Claire e) la cuiller est dans la moutarde f) le verre est sur le bar

Exercices

1 – Excusez-moi Madame, je n'ai pas de sel.

– Le sel est sur la table près de la porte.

– Très bien. Et les toilettes s'il vous plaît?

– Les toilettes sont là-bas au fond.

– Et le téléphone?

– C'est à côté du distributeur de cigarettes.

– Merci bien Madame.

– Pas de problème.

2 je n'aime ni la limonade ni le coca la machine à sous est au fond du bar le poivre est à côté du vinaigre le couteau est sous la chaise le distributeur de cigarettes est entre la machine à sous et le téléphone Jean-Pierre est à côté de Suzanne

Unit   4

SITUATION A

vous êtes combien? c'est gratuit un guide un adulte un enfant un retraité un étudiant un bébé

EMPLOYÉ: C'est un groupe? Vous avez réservé?

TOURISTE: Non.

EMPLOYÉ: Vous êtes combien?

TOURISTE: Six adultes, trois enfants et un bébé.

EMPLOYÉ: Le bébé, c'est gratuit.

ÉTUDIANT: Je suis étudiant.

EMPLOYÉ: Alors, cinq adultes, trois enfants et un étudiant.

TOURISTE: Deux adultes sont retraités.

EMPLOYÉ: Donc, trois adultes, deux retraités, un étudiant et trois enfants?

TOURISTE: C'est correct, c'est combien?

EMPLOYÉ: Cinquante-six livres cinquante s'il vous plaît.

TOURISTE: Et un guide, s'il vous plaît.

EMPLOYÉ: En français?

TOURISTE: Oui.

EMPLOYÉ: C'est trois livres cinquante. Cinquante-neuf livres en tout. . . . Merci Madame.

Explications

vingt et un vingt-deux vingt-trois vingt-quatre vingt-cinq vingt-six vingt-sept vingt-huit vingt-neuf trente et un   quarante et un soixante et un

a) cinquante-neuf b) livres c) cinquante

Compréhension

1 a) Il y a six adultes, trois enfants et un bébé.

b) Trois adultes sont retraités.

c) Le guide, c'est deux livres cinquante.

d) Il y a un étudiant.

e) C'est £59 en tout.

f) Les étudiants, c'est gratuit.

2 a) Les bébés, c'est combien? C'est gratuit.

b) Les retraités, c'est combien? C'est cinquante francs.

c) Les billets ordinaires, c'est combien? C'est soixante-quinze francs.

d) Les enfants de deux ans, c'est combien? C'est gratuit.

e) Les personnes handicapées, c'est combien? C'est cinquante francs.

Exercices

1 Nos tarifs d'entrée sont les suivants pour la saison d'été: adultes, tarif individuel: six livres cinquante; retraités, handicapés et étudiants: quatre livres; enfants de cinq à quartorze ans: trois livres cinquante; tarif spécial de quatre livres cinquante pour groupes de dix personnes, et de trois livres pour les groupes scolaires; enfin, nous offrons un prix spécial pour les familles (deux adultes, et un, deux ou trois enfants) de dix-huit livres.

SITUATION B

en autocar bon voyage! un petit changement déjeuner à dimanche le repas une salle un délégué un instant!

EMPLOYÉ: Allô, Leeds Castle.

MME BOUTEAUX: Je voudrais confirmer ma réservation de salle, s'il vous plaît?

EMPLOYÉ: Oui, votre nom?

MME BOUTEAUX: C'est Bouteaux, de Pharmacil.

EMPLOYÉ: Un instant . . . oui, vous arrivez dimanche, oui?

MME BOUTEAUX: Oui, à neuf heures trente. Pouvez-vous confirmer les heures des repas s'il vous plaît?

EMPLOYÉ: Le déjeuner est à douze heures trente et le dîner à dix-neuf heures.

MME BOUTEAUX: Merci. Nous avons aussi un petit changement.

EMPLOYÉ: Oui?

MME BOUTEAUX: Le nombre de délégués est vingt-quatre.

EMPLOYÉ: Alors, vingt-quatre et non vingt et un, c'est ça?

MME BOUTEAUX: Oui, c'est ça.

EMPLOYÉ: Et vous arrivez en autocar?

MME BOUTEAUX: Oui, nous prenons le ferry de sept heures à Calais.

EMPLOYÉ: Alors, bon voyage et à dimanche Madame Bouteaux.

MME BOUTEAUX: Merci, au revoir Monsieur.

Compréhension

1 a) En mai, le parc est ouvert le lundi?
b) Le parc est ouvert le 12 avril?
c) Le parc est ouvert à 20 heures?
d) Le parc est ouvert en décembre?
e) En septembre, le parc est ouvert le dimanche?
f) Les attractions sont ouvertes à 10 heures?
g) Il y a des spectacles en avril?

3 l'automne, janvier, février, mars, mai, juin, juillet, août, octobre, novembre

Exercices

1 a) 6h20 b) 9h45 c) 11h00 d) 8h30
e) 13h15 f) 15h15 g) 17h50 h) 19h05

2 a) 13h40 b) 14h10 c) 18h25 d) 6h15
e) 8h20 f) 2h00 g) 10h30 h) 12h30

3 – Allô, l'Arsenal de Chatham?
 – Bonjour Monsieur, c'est l'Arsenal
 – Vous êtes ouvert les jours fériés?
 – Oui, de 10h à 18h en été
 – Et en hiver?
 – Mercredi, samedi et dimanche
 – Et le mardi?
 – Non, le mardi c'est fermé
 – Et vous êtes ouvert jusqu'à dix-huit heures, c'est ça?
 – Non, seize heures trente en hiver
 – D'accord c'est noté, je vous remercie.
 – De rien Monsieur, au revoir.

SITUATION C

de la viande de la purée des rognons le poisson noir un café au lait le pain c'est tout soixante-quinze la caisse la sortie

YVES: Pardon Mademoiselle, le *cottage pie*, qu'est-ce que c'est?

SERVEUSE: C'est de la viande et de la purée gratinée.

YVES: Oh . . . et le *steak and kidney pie*?

SERVEUSE: C'est une tarte au steak et aux rognons.

YVES: Oh, non, je préfère le poisson et les frites.

SERVEUSE: Thé? Café?

YVES: Une carafe d'eau et un café s'il vous plaît.

SERVEUSE: Un café noir ou au lait?

YVES: Noir, bien sûr. Il n'y a pas de pain?

SERVEUSE: Non Monsieur, je suis désolée. Il y a des biscuits pour le fromage.

YVES: Non merci. Alors c'est tout.

SERVEUSE: Alors ça fait cinq livres soixante-quinze monsieur. Vous payez à la caisse à la sortie.

Explications

soixante *et* onze soixante-douze soixante-treize soixante-quartorze soixante-quinze soixante-seize soixante-dix-sept soixante-dix-huit soixante-dix-neuf quatre-vingt

un chat *noir*	une souris *blanche*	le ciel *bleu*
un feu *vert*	un feu *rouge*	un oeuf *jaune* et *blanc*

Exercices

1 BOISSONS

		PLATS		
a) coca cola	3F25	g) croque-monsieur	9F50
b) orangina	4F50	h) frites	6F/8F/10F
c) bière bouteille	8F	i) saucisse	12F
d) eau minérale	2F75	j) sandwichs	9F50/15F
e) café	2F50	k) tarte maison	6F50
f) chocolat	2F75	l) fromage	7F75

2 – Ca fait treize livres
  – Mais c'est impossible, il y a une erreur.
  – Une soupe à une livre, le pain à quarante pence, une *cottage pie* à deux livres soixante-quinze, un poisson-frites à trois livres vingt-cinq, un jus d'orange à soixante pence, fromage et biscuits à une livre vingt, un gâteau au chocolat à une livre soixante, une bouteille d'eau minérale à quatre-vingt-dix pence, et deux cafés à une livre trente, ça fait treize livres.
  – Ah, pardon, vous avez raison, il n'y a pas d'erreur.

Unit 5

SITUATION A

du ... au ... ne quittez pas je vous passe le service des réservations réserver une chambre inclus je suis désolé(e) complet il n'y a pas de dans le quartier nous allons

TOURISTE: Bonsoir, Monsieur.
RÉCEPTION: Bonsoir, Madame. Je peux vous aider?
TOURISTE: Oui, Monsieur. Je voudrais faire une réservation, s'il vous plaît.
RÉCEPTION: Ne quittez pas. Je vous passe le service des réservations.

RÉSERVATIONS: Bonsoir, Madame. Vous voulez réserver une chambre?
TOURISTE: Oui, Monsieur. Sept chambres. Trois pour deux personnes, avec salles de bains, et quatre pour une personne avec douche, du vendredi vingt-deux au dimanche vingt-quatre inclus.
RÉSERVATIONS: Je suis désolée, mais l'hôtel est complet samedi. Il n'y a pas de chambres pour deux personnes.
TOURISTE: Il y a un autre hôtel dans le quartier?
RÉSERVATIONS: Bien sûr. Il y a l'hôtel Swan et l'hôtel Arden Forest près du théâtre.
TOURISTE: Parfait . . . nous allons au théâtre samedi soir. Vous avez les numéros de téléphone?
RÉSERVATIONS: Oui, Madame. Le Swan c'est le 234456 et le Arden Forest le 244951.
TOURISTE: Merci, Monsieur.
RÉSERVATIONS: Je vous en prie, Madame. Bonsoir.

Explications

ne quittez pas c'est de la part de qui? un instant, je vous prie
je regrette je suis désolé(e) je suis navré(e)

Compréhension

a) Vous pouvez dîner au restaurant de la RSC avant 17h45 ou après 22h30.
b) Il y a des chambres pour deux personnes à deux lits ou avec un grand lit avec salle de bains ou douche. Il n'y a pas de salle de bains dans les chambres de la catégorie C. Le petit déjeuner à l'anglaise est compris.
c) Il y a un supplément pour les chambres pour une personne.

Exercices

1 a) Je suis Michel Lemaire (L E M A I R E). Mon numéro de téléphone est le: 23 11 22 19. J'arrive jeudi à 23 heures. Je voudrais une chambre avec salle de bains pour deux personnes.
b) Je suis Pierre Bigorneau (B I G O R N E A U). Mon numéro de téléphone est le: 13 04 15 18. J'arrive mercredi à 17h30. Je voudrais une chambre avec douche pour une personne.

2 a) Je voudrais une chambre pour deux personnes du 12 au 16 juillet.
b) Je voudrais une chambre avec salle de bains pour une personne pour deux nuits.
c) Vous avez une chambre avec douche pour

deux personnes du 11 au 15 avril?

d) Je voudrais une chambre avec douche pour une personne du 4 au 16 mars.

3 Je voudrais une chambre pour deux personnes avec douche, le lundi 13.
Je voudrais une chambre pour une personne avec douche le mardi 14.
Je voudrais une chambre avec douche pour une personne le mercredi 15.
Je voudrais une chambre avec salle de bains pour une personne le jeudi 16.
Vous avez une chambre pour deux personnes avec douche ou salle de bains le vendredi 17?

4 – Bonjour, Monsieur.
– Bonjour, Madame,
– Je voudrais une chambre avec salle de bains pour deux personnes jeudi, s'il vous plaît
– Oui, Madame. C'est le jeudi douze?
– Non, le jeudi dix-neuf.
– Je suis navré, mais l'hôtel est complet. Il y a le Boar's Head au centre-ville.
– Merci, Monsieur.
– De rien. Au revoir, Madame.

SITUATION B

avec un grand lit/à deux lits   quelle   en tout
vous pouvez répéter?   la ligne est très mauvaise
c'est noté   je vous remercie beaucoup

MME PICHET: Bonsoir, Monsieur. Je voudrais faire une réservation.

RÉCEPTION: Oui, Madame. C'est pour combien de personnes?

MME PICHET: Pour dix personnes. Je voudrais sept chambres, s'il vous plaît. Trois pour deux personnes, avec salles de bains, trois pour une personne avec salles de bains et une pour une personne avec douche.

RÉCEPTION: C'est pour quelle date?

MME PICHET: Du vendredi vingt-deux mai au dimanche vingt-quatre inclus. Trois nuits en tout.

RÉCEPTION: Vous préférez des chambres à deux lits ou avec un grand lit?

MME PICHET: Deux avec un grand lit, une à deux lits.

RÉCEPTION: Bien, Madame.

MME PICHET: C'est combien, s'il vous plaît?

RÉCEPTION: La chambre pour deux personnes, quatre-vingt-six livres par nuit, la chambre avec douche pour une personne, cinquante-deux livres vingt et la chambre pour une

personne avec salle de bains, cinquante-sept livres.

MME PICHET: Parfait.

RÉCEPTION: C'est à quel nom, s'il vous plaît?

MME PICHET: Jeanne Pichet. P I C H E T.

RÉCEPTION: Vous pouvez répéter, s'il vous plaît. La ligne est très mauvaise.

MME PICHET: P I C H E T.

RÉCEPTION: Très bien. C'est noté. Je vous remercie beaucoup, Madame.

MME PICHET: Merci et au revoir, Monsieur.

Explications

81 82 83 84 85 86 87 88 89 90 91
92 93 94 95 96 97 98 99 100
janvier février mars avril mai juin juillet
août septembre octobre novembre
décembre
le printemps l'été l'automne l'hiver

Compréhension

a) il y a une pièce de théâtre le lundi 22 juin? b) il y a une pièce de théâtre le vendredi 3 juillet? c) il y a une pièce de théâtre le jeudi 9 juillet? d) il y a une pièce de théâtre le mercredi 12 août? e) il y a une pièce de théâtre le samedi 15 août? f) il y a une pièce de théâtre le 10 juillet? g) il y a une pièce de théâtre le 8 août? h) il y a une pièce de théâtre le 26 juin? i) il y a une pièce de théâtre le 19 août? j) il y a une pièce de théâtre le 24 juin?

Exercices

1 a) le 17 mars b) le 27 février c) le 1er juillet d) le 4 octobre e) le 14 novembre f) le 20 janvier

2 £100 £88 £79 £90 £48 £24 £96 £86

3 a) Martinon M a r t i n o n b) Girard G i r a r d c) Laquerriere L a q u e r r i e r e d) Poniatowski P o n i a t o w s k i e) Masson M a s s o n f) Nanterre N a n t e r r e

4 a) le 9 septembre b) le 29 août c) le 15 juillet d) le 16 février e) le 13 mars f) le 14 janvier

5 – Bonjour, Madame. Je voudrais réserver une chambre.
– Pour combien de personnes et quelle date?
– Pour deux personnes. Le seize juillet.
– Je suis désolé, mais l'hôtel est complet.
– Vous avez une chambre le dix-sept juillet?
– Il y a une chambre avec salle de bains le dix-sept.
– Très bien. C'est combien?
– La chambre côute quatre-vingt-douze livres

et le petit déjeuner est compris.
– Parfait.
– C'est à quel nom?
– Madame Claudine Josset.
– J O S S E T? Merci.

– Voilà, Monsieur.
– Merci beaucoup, Madame.

Unit 6

SITUATION C

au rez-de-chaussée   handicapé(e)   un fauteuil roulant   en cas d'incendie   des repas de régime   cela vous convient?   veuillez remplir la fiche   vos coordonnées   il faut combien de temps?   bonne promenade!

TOURISTE: Bonjour, Mademoiselle. Je voudrais réserver une chambre pour deux personnes.
RÉCEPTION: Bonjour, Monsieur. Une chambre avec salle de bains ou avec douche?
TOURISTE: Une grande chambre avec salle de bains au rez-de-chaussée, c'est possible? Ma femme est handicapée. Elle est en fauteuil roulant. Une chambre au rez-de-chaussée . . . en cas d'incendie c'est très important.
RÉCEPTION: Bien sûr, Monsieur. Et le restaurant et le bar sont au rez-de-chaussée aussi.
TOURISTE: Très bien.
RÉCEPTION: Et votre femme a un régime spécial? Notre restaurant prépare des repas de régime.
TOURISTE: Excellent! C'est combien la chambre?
RÉCEPTION: Quatre-vingt-quatre livres, Monsieur. Cela vous convient?
TOURISTE: Parfait.
RÉCEPTION: Veuillez remplir la fiche, Monsieur, avec vos coordonnées.
TOURISTE: Voilà. Il faut combien de temps pour aller en ville?
RÉCEPTION: Dix minutes.
TOURISTE: Très bien. Je vais faire une promenade avec ma femme avant le déjeuner.
RÉCEPTION: Bien, Monsieur. Bonne promenade!

Exercices

1 a) il faut prendre l'ascenseur b) il faut prendre le bus c) il faut réserver une chambre d) il faut tourner à droite

3 – Bonsoir, Monsieur.
 – Bonsoir, Madame.
 – Je voudrais réserver une chambre.
 – C'est une chambre pour une personne ou deux personnes?
 – Une chambre pour deux personnes.
 – Veuillez remplir la fiche.

SITUATION A

qu'est-ce que c'est?   moins   plus   au lieu de   c'est cher   une carte bleue   votre billet   les flèches   le parking

CLIENT: Deux adultes et trois enfants s'il vous plaît.
EMPLOYÉE: Vous voulez un billet familial?
CLIENT: Qu'est-ce que c'est?
EMPLOYÉE: Un billet spécial pour deux adultes et deux enfants.
CLIENT: C'est moins cher?
EMPLOYÉE: Oui, dix-sept livres au lieu de vingt.
CLIENT: Nous avons *trois* enfants . . .
EMPLOYÉE: Ils ont moins de cinq ans?
CLIENT: Non, un a moins de cinq ans.
EMPLOYÉE: Les moins de cinq ans, c'est gratuit.
CLIENT: Alors, un billet familial. Vous acceptez la carte bleue?
EMPLOYÉE: Oui monsieur . . . Signez ici, voilà votre billet, votre carte, et le plan. Bonne journée, suivez les flèches pour le parking.

Exercices

1 a) Et les enfants? C'est moins cher.
 b) Et un billet familial? C'est moins cher.
 c) Et avec un guide? C'est plus cher.
 d) Et la visite du château et du parc? C'est moins cher.
 e) Et le mardi? C'est moins cher.
 f) Et le samedi? C'est plus cher.

2 – Allô, le château de Hever?
 – Oui Madame
 – Le château est ouvert le cinq novembre?
 – Oui
 – Il ouvre à quelle heure s'il vous plaît?
 – *(Give times for castle and gardens.)*
 – La visite, c'est combien?
 – C'est pour le château et les jardins?
 – Non, les jardins seulement.
 – C'est pour un adulte?
 – Il y a un tarif de groupe?
 – Pour les groupes de quinze personnes ou plus.
 – C'est pour un groupe de vingt enfants.
 – Ils ont moins de seize ans?
 – Oui, de douze à quatorze ans.

– *(Give the price per person.)*
– Il y a un restaurant?
– Oui, un restaurant self-service.
– Merci beaucoup Monsieur (Madame).

SITUATION B

pardon? où sont? attendez ici je cherche
tout droit dans cinq minutes l'exposition le
train fantôme le bâtiment d'accueil

TOURISTE 1: Pardon Monsieur, où sont les
   toilettes s'il vous plaît?
EMPLOYÉ: Deuxième allée à droite, et c'est
   devant vous.
TOURISTE 1: Merci.
TOURISTE 2: Pardon, le snack bar s'il vous plaît?
EMPLOYÉ: C'est derrière le musée, troisième
   porte à gauche.
TOURISTE 2: D'accord, merci.
TOURISTE 3: L'autobus pour aller au zoo, s'il
   vous plaît?
EMPLOYÉ: Attendez ici, l'autobus arrive dans
   cinq minutes.
TOURISTE 3: Merci.
TOURISTE 4: Je cherche l'exposition 1999?
EMPLOYÉ: C'est au fond du parc, à côté du
   restaurant.
TOURISTE 4: Merci bien Monsieur.
TOURISTE 5: Le train fantôme?
EMPLOYÉ: Tout droit devant vous!
TOURISTE 6: Où est la boutique souvenirs s'il
   vous plaît?
EMPLOYÉ: Dans le bâtiment d'accueil, avec les
   toilettes.

Exercices

1 a) Suivez l'allée et c'est à côté du bar.
b) Elle est derriére la boutique, entre la rivière
et le zoo.
c) Passez le restaurant, tournez à droite après le
téléphone, c'est à gauche.
d) Tout droit, devant vous, à cinquante mètres.
e) La deuxième allée sur votre gauche, c'est au
fond du parc.
2 a) Où est le *cinéma* s'il vous plaît? Devant
vous, à côté de la bibliothèque.
b) Où est le *salon de thé* s'il vous plaît? Tournez
à droite, passez la boutique, c'est sur votre
droite.
c) Où est La *Tour Blanche* s'il vous plaît? Elle est
à droite du château.
d) Où est l'*église* s'il vous plaît? Au fond de la
cour, à droite.

e) Où est la *sortie* s'il vous plaît? A droite, entre
le salon de thé et l'exposition.
f) Où est la *librairie* s'il vous plaît? Entre
l'information et le salon de thé.

4 a) tournez à gauche b) c'est tout droit
c) devant vous d) derrière vous! e) attendez
ici! f) à côté du bar

SITUATION C

poste de secours blessé(e) qu'est-ce qu'il y a?
ma femme grave assis(e) le genou tomber
marcher avoir mal tout de suite un(e)
infirmier(infirmière) de l'aide/de l'assistance

EMPLOYÉ: Il y a un problème? Je peux vous
   aider?
TOURISTE: Je cherche le poste de secours.
EMPLOYÉ: Qu'est-ce qu'il y a?
TOURISTE: Ma femme est blessée.
EMPLOYÉ: C'est grave? Où est-elle? Il faut une
   ambulance?
TOURISTE: Non ce n'est pas trop grave. Elle est
   assise là-bas. C'est son genou. Elle est
   tombée.
EMPLOYÉ: Elle peut marcher?
TOURISTE: Non, elle a très mal.
EMPLOYÉ: Bon, attendez là, je vais chercher de
   l'aide. J'arrive tout de suite avec un infirmier.
TOURISTE: Merci beaucoup.

Compréhension

la tête un oeil une oreille le bras la jambe
la poitrine le nez la bouche le cou la main
le pied l'estomac

Exercices

1 a) C'est l'été, Monsieur Richard a chaud.
b) Madame Roland a froid aux genoux.
c) Le film est horrible. Pierre n'a pas peur.
d) C'est l'heure du déjeuner. Marie a faim.
e) Il y a un accident grave. Le blessé a mal.

2 Attendez là, je vais aller au poste de secours;
je vais chercher un docteur; je vais téléphoner et
demander une ambulance.

3 A: Qu'est-ce qu'il y a?
  B: Je suis blessé(e)
  A: Vous avez mal?
  B: Oui, j'ai mal au/à la/aux. . .
  A: C'est grave?
  B: J'ai très mal, allez chercher de l'aide
  A: Vous voulez une ambulance?
  B: Oui, tout de suite, et aussi un docteur!

Unit 7

SITUATION A

je peux vous aider? je voudrais savoir si . . .
tous les quarts d'heure durer sans environ
une heure et demie il y a plusieurs arrêts
descendre puis reprendre le trajet vous
devez

EMPLOYÉE: Allô, ici Rover Tours. Je peux vous
aider?

M. QUENEAU: Bonjour Madame. Je voudrais
savoir si vous avez des tours de Londres en
autobus.

EMPLOYÉE: Bien sûr Monsieur. Il y a des bus tous
les quarts d'heure.

M. QUENEAU: Et ça dure combien de temps?

EMPLOYÉE: Ca dépend. Le tour sans arrêt dure
environ une heure et demie. Mais il y a
plusieurs arrêts où vous pouvez descendre.
Puis vous pouvez reprendre le bus au même
arrêt pour continuer le trajet.

M. QUENEAU: Très bien. Et c'est combien?

EMPLOYÉE: Six livres pour les adultes et quatre
livres cinquante pour les enfants. Vous devez
acheter les billets en avance.

M. QUENEAU: Merci Madame, vous êtes très
aimable.

EMPLOYÉE: De rien Monsieur. Au revoir.

Exercices

1 – Allô. Je peux vous aider?
– Je voudrais savoir à quelle heure partent les
trains pour Maubeuge demain?
– Le matin ou l'après-midi?
– Le matin vers dix heures.
– Oui, il y a un train à dix heures dix-neuf.
– Et à quelle heure le train arrive à
Maubeuge?
– Le train arrive à midi trente-six.
– Il y a un restaurant?
– Oui, il y a un restaurant et un mini-bar.
– Et c'est combien, un aller simple?
– Cent quatre-vingt-treize francs en première
classe, et cent vingt-neuf francs en
deuxième.
– Merci, vous êtes très aimable.
– De rien. Au revoir.

2 a) une heure et demie b) six livres
cinquante c) en avance d) tous les quarts
d'heure e) il y a un restaurant f) une
journée à Londres g) je dois acheter les

billets h) allô, ici Rover Tours i) le train part
à six heures

SITUATION B

un bateau un aller simple un aller-retour
payer une réduction de dix pour cent vous
voulez bien . . . le reçu prochain partir
veuillez passer sur le quai

TOURISTE: Bonjour Madame. Il faut prendre le
bateau pour Greenwich ici?

EMPLOYÉE: C'est ça, Monsieur. Vous êtes
combien?

TOURISTE: Nous sommes vingt adultes et treize
enfants.

EMPLOYÉE: Aller simple ou aller-retour?

TOURISTE: Aller-retour s'il vous plaît.

EMPLOYÉE: Alors c'est cinq livres cinquante pour
les adultes, et deux livres soixante-quinze
pour les enfants.

TOURISTE: Il faut payer pour le bébé?

EMPLOYÉE: Non, c'est gratuit pour les enfants si
ils ont moins de cinq ans. Vous avez aussi une
réduction de dix pour cent. C'est le tarif de
groupe.

TOURISTE: Je peux payer par Eurochèque?

EMPLOYÉE: Bien sûr Monsieur. Vous voulez bien
signer ici. Merci, et voilà votre reçu. Le
prochain bateau part dans deux minutes.
Veuillez passer sur le quai.

Exercices

1 – Bonjour. A quelle heure part le prochain
bateau?
– Le prochain bateau part à quatorze heures.
– Combien de temps dure l'excursion?
– Une heure et demie.
– Vous avez d'autres excursions aujourd'hui?
– Oui, à seize heures et à dix-neuf heures.
– Et les autres jours de la semaine?
– Lundi et vendredi à onze heures, quatorze
heures et seize heures. Mardi et jeudi à onze
heures, quatorze heures et quinze heures
trente. Samedi à quatorze heures trente et
mercredi à onze heures, quatorze heures,
seize heures et dix-neuf heures.
– Vous avez des tarifs réduits?
– Oui, il y a un tarif réduit pour les excursions
du matin.
– Il faut réserver?
– Oui il faut réserver. Vous pouvez réserver ici
ou vous pouvez téléphoner. Le numéro de
téléphone est le 0884 253345.

2 Entrez dans le bus! Veuillez entrer dans le bus. Descendez du bateau! Vous voulez bien descendre du bateau. Réservez les billets! Veuillez réserver les billets. Passez au bureau! Vous voulez bien passer au bureau. Prenez le reçu! Veuillez prendre le reçu.

SITUATION C

un vendeur/une vendeuse vous avez quelles tailes? moyen une carte postale ce n'est pas grave un paquet de diapositives une pellicule . . . . . . de 24 ou 36 poses j'en prends deux moyens

MME DELBECQUE: Excusez-moi Monsieur, combien coûtent les T-shirts?

VENDEUR: Neuf livres quatre-vingt-dix-neuf, Madame.

MME DELBECQUE: Et vous avez quelles tailles?

VENDEUR: Pour les adultes, petit, moyen et grand. Nous avons aussi des tailles pour les enfants.

MME DELBECQUE: Alors, j'en prends deux, un grand et un moyen. Je prends aussi trois cartes postales.

VENDEUR: Je suis désolée Madame, il n'y a plus de grande taille.

MME DELBECQUE: Ce n'est pas grave, j'en prends deux moyens. Je voudrais aussi un paquet de diapositives et une pellicule.

VENDEUR: Bien sûr Madame. Vingt-quatre ou trente-six poses?

MME DELBECQUE: Une pellicule de trente-six poses, s'il vous plaît. Combien ça fait en tout?

VENDEUR: Ça fait trente livres vingt en tout Madame.

MME DELBECQUE: Voilà ma carte bleue.

VENDEUR: Merci Madame.

Exercices

1 a) un paquet de diapositives b) une boîte d'allumettes c) une pellicule de 24 poses d) deux paquets de diapositives e) beaucoup de T-shirts

2 – Je voudrais trois T-shirts petits et deux moyens s'il vous plaît.
 – Je suis désolé(e), mais il n'y a plus de petite taille.
 – Alors j'en prends cinq moyens. Vous avez des cartes postales?
 – Oui, les cartes postales coûtent six francs.
 – J'en prends sept alors. Vous avez des timbres?

– Non Madame, il faut aller au Bureau de Poste.
– Combien coûte un paquet de diapositives?
– Quatre-vingt-quinze francs Madame.
– J'en prends un alors. Ça fait combien en tout?
– Sept cent soixante-deux francs.

3 a) il n'a pas de brochures
 b) vous n'avez pas de pellicules
 c) elles n'ont plus de posters
 d) je n'ai pas de T-shirts
 e) nous n'avons plus de diapositives

Unit 8

SITUATION A

libre demain matin après-demain un panneau marron en voiture, en train, à pied la gare traverser le pont au bord de c'est à trois cents mètres/cinq minutes

CLIENT: Allô, le Sunnybeach Sports Club?

EMPLOYÉE: Oui, bonjour Monsieur.

CLIENT: Je voudrais réserver un court de tennis. Il y a des courts libres demain matin?

EMPLOYÉE: Non, je suis désolée, après-demain soir à dix-neuf heures?

CLIENT: Oui, ça va, et pour arriver au club s'il vous plaît?

EMPLOYÉE: En voiture, vous suivez la A380 en direction de Torquay, et il y a un panneau marron . . .

CLIENT: Je suis en train.

EMPLOYÉE: Alors, de la gare, vous traversez le Pont Neuf, et le club est sur l'Esplanade, au bord de la plage, à côté du théâtre et du casino.

CLIENT: C'est loin?

EMPLOYÉE: Non, c'est à trois cents mètres, c'est à cinq minutes à pied.

CLIENT: Bien, merci Madame.

Exercices

1 MAP 1: Le centre de loisirs est dans la grand'rue. Le centre est près du marché. Le centre est derrière la gare. Du forum, traversez la grand'rue, tournez à droite dans Central Avenue, le centre est sur votre gauche.
MAP 2: La piscine est sur l'Esplanade. D'Exeter, de la gare, prenez la deuxième rue tournez à gauche, puis à droite. D'Otterton tournez à la deuxième rue à gauche sur l'esplanade. La

piscine est dans Ham Lane, sur la droite.

2 a) Il va au restaurant demain? Non, il va aller au restaurant aujourd'hui.
b) Il prend le train aujourd'hui? Non, il va prendre le train après-demain.
c) Il visite le château demain après-midi? Non, il va visiter le château demain matin.
d) Elle achète des souvenirs ce matin? Non, elle va acheter des souvenirs cet après-midi.
e) Elle arrive aujourd'hui? Non, elle va arriver demain.

SITUATION B

par ici   enlevez vos chaussures   on appelle la couleur   toutes les demi-heures   les vestiaires   mettez vos vêtements   un casier   perdre   ne poussez pas   attention, un à la fois   plonger ou sauter   une vague

CONTRÔLEUR: Vos billets s'il vous plaît, passez par ici. Voilà vos bracelets, enlevez vos chaussures ici s'il vous plaît.
FILLE: C'est pourquoi, les bracelets?
CONTRÔLEUR: Vous devez sortir quand on appelle la couleur de votre bracelet. On appelle toutes les demi-heures.
FILLE: Où sont les vestiaires?
CONTRÔLEUR: Filles par ici, garçons par là. Mettez vos vêtements dans les casiers.
FILLE: C'est combien?
CONTRÔLEUR: Cinquante pence. Ne perdez pas votre clé. Attention, ne poussez pas s'il vous plaît. Un à la fois, allez, passez!
FILLE: On peut plonger ou sauter?
CONTRÔLEUR: Oui, dans le bassin spécial. Et attention, il y a des vagues toutes les vingt minutes.

Exercices

1 a) N'achetez pas de cigarettes!
b) Ne tournez pas à gauche!
c) Ne sautez pas dans la piscine!
d) Ne portez pas de chaussures!
e) Ne mettez pas de casques!
f) Ne poussez pas!

2 – Vous voulez des billets pour la piscine?
– Oui, deux adultes et deux enfants. Il y a un endroit pour changer les bébés?
– Oui, et il y a des vestiaires pour les familles aussi.
– Il faut de la monnaie pour les casiers?
– Oui, cinquante pence.

– Et il y a des vagues?
– Oui, toutes les dix minutes.
– Et il y a un bassin pour les petits?
– Oui, il y a un bassin pour les enfants.
– Je voudrais aussi réserver un court de squash ce soir, c'est possible?
– Oui, vous pouvez réserver des courts toutes les heures.
– Et il y a un court libre à dix-neuf heures?
– Non; pas à dix-neuf heures, mais à dix-neuf heures trente, oui.
– Très bien, alors je réserve pour dix-neuf heures trente.

3 a) Ne mettez pas vos chaussures dans les casiers!
b) N'utilisez pas les douches!
c) Portez votre billet toute la journée!
d) Ne parlez pas anglais!
e) Entrez par la porte principale!
f) N'emportez pas les billets!
g) Jetez les papiers dans la poubelle!
h) Payez à la caisse!

SITUATION C

un haut-parleur   je ne comprends pas   un nageur   le bord   un maître-nageur   tout le monde   dehors   comme vous êtes   immédiatement   une couverture thermique   l'entrée principale

(Après une annonce)
NAGEUR: Pardon? qu'est-ce que c'est? Je ne comprends pas. . . .
MAÎTRE-NAGEUR: On appelle les nageurs avec des bracelets jaunes. Ils doivent sortir maintenant. Et on annonce aussi les vagues. Veuillez quitter le bord du tobogan. Les nageurs inexpérimentés doivent aller près du bord de la piscine.
(Alarme et annonce)
NAGEUR: Qu'est-ce qu'il y a, tout le monde sort?
MAÎTRE-NAGEUR: Oui, c'est une alerte à la bombe, suivez tout le monde dehors.
NAGEUR: Je peux aller aux vestiaires?
MAÎTRE-NAGEUR: Non, sortez tout de suite, comme vous êtes.
NAGEUR: Mais, j'ai froid . . .
MAÎTRE-NAGEUR: Voilà une couverture thermique, il faut sortir immédiatement. Attendez devant l'entrée principale.

Exercices

1 a) aux toilettes b) à l'accueil c) à

l'accueil   d) à l'entrée du parc et dans les restaurants   e) au ranch

3 escalier roulant   ascenseur   vestiaire   objets trouvés   bureau de change   téléphones publics   rafraîchissements   information touristes   toilettes   handicapés   change-bébé aire de pique-nique

Unit 9

SITUATION A

cet été   en plein air   d'autres concerts   la place debout   la place assise   je vous envoie cela vous êtes très aimable

TOURISTE: Allô?

RÉCEPTION: Bonjour, Monsieur. Je peux vous aider?

TOURISTE: Oui, Mademoiselle. Il y a un concert de musique classique cet été en plein air?

RÉCEPTION: Oui, Monsieur, le vingt-cinq juillet.

TOURISTE: A quelle heure?

RÉCEPTION: A sept heures, Monsieur.

TOURISTE: Très bien. Et il y a d'autres concerts?

RÉCEPTION: Oui, Monsieur. Il y a un concert de jazz, le vingt-quatre juillet.

TOURISTE: C'est combien, les places?

RÉCEPTION: Pour le concert de musique classique, les places coûtent douze livres ou dix livres, pour le concert du vingt-quatre juillet dix livres ou huit livres.

TOURISTE: Pourquoi la différence de prix?

RÉCEPTION: Les places les plus chères sont des places assises.

TOURISTE: Très bien. Et il y a d'autres choses à voir ou à faire?

RÉCEPTION: Oui, Monsieur, je peux vous envoyer un programme si vous voulez.

TOURISTE: Parfait. Mon nom est Martigny . . . M A R T I G N Y, Henri, et mon adresse, 17 avenue Charles de Gaulle, 92201 Neuilly-sur-Seine.

RÉCEPTION: Merci, Monsieur. Je vous envoie cela aujourd'hui.

TOURISTE: Merci, Mademoiselle. Vous êtes très aimable.

Compréhension

a) Il y a une soirée d'opéra le 7 juin? b) Pour le concert de jazz, les personnes handicapées paient combien? c) Pour le concert de George Melly, c'est combien la place assise? d) Le repas est inclus dans le prix du billet pour la soirée d'opéra? e) L'après-midi de jazz . . . ça commence à quelle heure?

Exercices

3 – Allô?
  – Bonjour, Madame. Je peux vous aider?
  – Oui, le concert de musique classique, c'est quelle date, s'il vous plaît?
  – Le 25 août.
  – Il y a d'autres concerts?
  – Il y a un concert de jazz le 29 août.
  – Les deux concerts sont en plein air?
  – Oui, Madame. Les deux sont en plein air.
  – Et vous avez un restaurant?
  – Oui, Madame. Il y a le Roundels Restaurant.
  – Et il y a un parking?
  – Oui. Il y a un grand parking à l'entrée.

SITUATION B

le camping   un emplacement   un événement spécial   la visite de la ferme   cela pose un problème?   assister au concert   pas du tout rester plus longtemps

TOURISTE: Allô? Whitbread Hop Farm?

RÉCEPTION: Oui, Madame. Je peux vous aider?

TOURISTE: Oui, Monsieur. Je voudrais réserver un emplacement au camping, pour une caravane, s'il vous plaît.

RÉCEPTION: Oui, Madame. C'est pour combien de jours?

TOURISTE: Pour deux jours seulement. C'est combien par jour?

RÉCEPTION: Onze livres, Madame, avec la visite de la ferme.

TOURISTE: Quelles sont les heures d'ouverture?

RÉCEPTION: De dix heures jusqu'à dix-huit heures.

TOURISTE: Très bien. Il y a un événement spécial en juillet?

RÉCEPTION: Oui, Madame. Il y a un concert le trois juillet.

TOURISTE: Mais je voudrais réserver l'emplacement pour le trois. Cela pose un problème?

RÉCEPTION: Pas du tout. Mais si vous voulez assister au concert, il faut payer un supplément.

TOURISTE: D'accord. Et si je décide de rester plus longtemps, c'est le même tarif?

RÉCEPTION: Non, il y a une réduction.

TOURISTE: Très bien. Merci bien.

RÉCEPTION: Je vous en prie. Au revoir Madame.

Explications

pas du tout   absolument pas   certainement
pas   hors de question

Exercices

1 a) Je peux fumer? b) Je peux payer pour
vous? c) Vous pouvez me donner £100?
d) Cela ne pose pas de problème?

2 a) Et Pierre? b) Et si vous payez demain?
c) Et si je réserve maintenant? d) Et la
voiture? e) Et ma chambre?

3 – Bonjour, Madame.
  – Bonjour, Monsieur. Je peux vous aider?
  – Oui. Je voudrais réserver un emplacement
    au camping pour caravanes.
  – Pour quelle date?
  – Le 14 juillet . . . c'est combien?
  – Onze livres.
  – Il y a des douches et toilettes au camping?
  – Bien sûr, Monsieur.
  – Très bien. Alors mon nom c'est Legrand.
    Michel Legrand. L E G R A N D.
  – Merci.
  – Merci à vous et au revoir, Madame.

SITUATION C

des cadeaux   le savon   une gamme de
produits   de la confiture   du miel   sur
l'étagère   des crayons, des gommes   la lotion
après-rasage   ça fait . . . en tout

TOURISTE: Bonjour, Monsieur. Je cherche des
  cadeaux pour et mes enfants.
EMPLOYÉ: Oui, Madame.
TOURISTE: Mon mari adore l'Angleterre! Les
  choses traditionnelles.
EMPLOYÉ: Nous avons une gamme de produits –
  des savons, de la lotion après-rasage et nous
  avons de la confiture, du miel et des biscuits
  là-bas, sur l'étagère.
TOURISTE: Très bien.
EMPLOYÉ: Nous avons aussi des tasses, des verres.
TOURISTE: Et pour les enfants?
EMPLOYÉ: Ils sont grands ou petits?
TOURISTE: Une fille de sept ans et un garçon de
  cinq ans.
EMPLOYÉ: Pour la petite fille nous avons des
  cottages en poterie très jolis et pour le petit
  garçon nous avons des posters, des crayons,
  des gommes.
TOURISTE: Bien. Je vais voir. Merci beaucoup.
  Voilà! Un beau poster pour mon fils, un petit

cottage pour ma fille et des tasses anglaises et
de la lotion après-rasage pour mon mari.
EMPLOYÉ: Merci, Madame. Voilà, ça fait
  quarante-six livres quatre-vingt en tout.
TOURISTE: Voilà, Monsieur.
EMPLOYÉ: Merci, Madame. Au revoir.

Compréhension

a) il y a des animaux à voir? b) il y a un
restaurant? c) il y a un terrain de jeux pour les
enfants? d) on peut visiter les séchoirs à
houblon? e) il y a une piscine? f) il y a un
hôtel?

Exercices

1 a) il y a un vieux château b) il y a une belle
piscine c) il y a une jolie boutique d) vous
voulez visiter la vieille ville?

4 – Bonjour, Madame.
  – Bonjour, Monsieur.
  – Je cherche le musée.
  – Oui, Monsieur. Le musée est là-bas.
  – Et où sont les shires?
  – Les shires sont là-bas sur la gauche.
  – Merci. Et le parc pour les enfants?
  – Le parc pour les enfants est juste après le
    centre de shires.
  – Merci, Madame. Vous êtes très aimable.
  – De rien.

Unit 10

SITUATION A

déjeuner   vous pouvez m'expliquer   les
crevettes   rose   les plats   garni   les pommes de
terre   choisir   les légumes du jour   les haricots
verts   les petits pois

M. SÈVRES: Excusez-moi Mademoiselle, vous
  pouvez m'expliquer quelque chose?
SERVEUSE: Bien sûr Monsieur.
M. SÈVRES: Qu'est-ce que c'est exactement le
  prawn cocktail?
SERVEUSE: Ce sont des crevettes avec une sauce
  rose.
M. SÈVRES: Et le *sole poached in white wine*?
SERVEUSE: Des filets de sole pochés au vin blanc.
M. SÈVRES: Et les plats sont garnis?
SERVEUSE: Oui Monsieur. Tous nos plats sont
  garnis de pommes de terre, et puis vous
  pouvez choisir un des légumes du jour.

Aujourd'hui nous avons des haricots verts, des petits pois et des carottes.

M. Sèvres: Et le *strawberry sorbet*, qu'est-ce que c'est *strawberry*?

Serveuse: Des fraises Monsieur. C'est un sorbet aux fraises.

Compréhension

1 les oignons les poireaux les champignons le chou-fleur les choux de Bruxelles le chou

Exercices

1 i) sorbet aux poires ii) une soupe à l'oignon iii) champignons au vin blanc iv) gâteau au chocolat v) gratin de chou-fleur vi) pommes de terre sautées

2 a) un sorbet au cassis b) une mousse au chocolat c) les légumes du jour d) une tarte aux pommes e) une glace au café f) tous nos plats sont garnis

3 a) une tarte aux fraises b) qu'est-ce que c'est exactement? c) un sorbet au cassis d) tous nos plats sont garnis e) les champignons à la crème f) les choux de Bruxelles g) des crevettes dans une sauce rose h) des haricots verts i) poché au vin blanc j) les petits pois

SITUATION B

vous avez choisi? comme entrée comme plat principal le rôti de porc la dorade à la crème de romarin et comme légumes? le gratin de courgettes la purée de carottes et comme boisson? une bouteille de vin blanc maison une carafe d'eau

Serveuse: Monsieur, Madame, vous avez choisi?

M. Langlois: Oui. Madame va prendre le pâté comme entrée. Pour moi la soupe à l'oignon.

Serveuse: Très bien Monsieur. Et comme plat principal?

Mme Langlois: Pour moi le rôti de porc.

Serveuse: Oui, et pour Monsieur?

M. Langlois: Je prends la dorade à la crème de romarin.

Serveuse: Et comme légumes?

M. Langlois: Des pommes de terre sautées, le gratin de courgettes et la purée de carottes.

Serveuse: Et comme boisson?

M. Langlois: Une bouteille de vin blanc maison et une carafe d'eau.

Serveuse: Très bien Monsieur.

Exercices

1 PAUL: J'ai choisi le pâté comme entrée, puis j'ai pris le coq au vin et pour finir j'ai mangé une tarte aux pommes. Comme boisson, j'ai bu du vin rouge.

YVONNE: J'ai bu du vin blanc et j'ai pris la soupe et le saumon grillé. Comme dessert, j'ai choisi une mousse au chocolat.

PIERRE: J'ai commencé par le cocktail de crevettes, et comme plat principal j'ai pris le rôti de boeuf. Pour finir, j'ai mangé du fromage. Comme boisson? De l'eau minérale.

2 – Vous avez choisi?
 – Oui. Pour Madame, du pâté. Qu'est-ce que c'est exactement le *prawn cocktail*?
 – Ce sont des crevettes dans une sauce rose.
 – Alors, je prends la soupe à l'oignon.
 – Et comme plat principal?
 – Le coq au vin pour Madame, et le rôti de boeuf pour moi. Quels sont les légumes du jour?
 – Des petits pois, le gratin de chou-fleur et des pommes de terre sautées.
 – Excellent.
 – Et comme boisson?
 – Une bouteille de Mouton Cadet et une carafe d'eau.
 – Alors, du pâté et de la soupe comme entrées, le coq au vin pour Madame, et le rôti de boeuf pour Monsieur, avec les légumes du jour. Une bouteille de Mouton Cadet et une carafe d'eau.

SITUATION C

quelque chose ne va pas? quand je suis arrivé très occupé saignant apporter bien cuit l'addition en trop la prochaine fois j'attends un service impeccable veuillez accepter toutes nos excuses

Maître d'hôtel: Quelque chose ne va pas, Madame?

Mme Durand: Oui. Quand je suis arrivé, j'ai attendu vingt minutes pour ma table.

Maître d'hôtel: Je suis désolé Madame, mais nous sommes très occupés aujourd'hui.

Mme Durand: D'accord, mais j'ai commandé un steak saignant et le serveur a apporté un steak bien cuit.

Maître d'hôtel: Je suis navré Madame.

Mme Durand: Ce n'est pas tout. Il a apporté des pommes de terre sautées mais j'ai commandé de la purée. Et je n'ai pas eu de carottes.

MAÎTRE D'HÔTEL: Je vais parler au serveur tout de suite.

MME DURAND: Et sur l'addition vous avez marqué une bouteille de vin en trop.

MAÎTRE D'HÔTEL: Veuillez accepter toutes nos excuses. La direction vous offre une réduction de vingt pour cent.

MME DURAND: D'accord, mais la prochaine fois j'attends un service impeccable.

Exercices

1 Nous avons commandé deux menus de la semaine. Marie a pris des rillettes, et moi j'ai pris du potage. Puis nous avons pris le plat du jour, et comme boisson, nous avons pris une bière chacune. Marie a pris une crème caramel comme dessert, mais moi, je n'ai pas pris de dessert. Nous avons bu du café tous les deux.

2 – Quelque chose ne va pas?
 – Oui. Il y a des erreurs sur l'addition. J'ai commandé du pâté et vous avez marqué des crudités.
 – Je suis désolé(e) Monsieur.
 – En plus, j'ai commandé un steak à point et vous avez servi un steak saignant.
 – Je suis navré(e) Monsieur.
 – Alors, qu'est-ce que vous allez faire?
 – Je vais parler au chef tout de suite. Veuillez accepter une réduction de dix pour cent.
 – D'accord, mais la prochaine fois j'attends un service impeccable.

3 a) vous avez marqué un pâté en trop
b) nous ne sommes pas arrivés à midi c) il n'a pas commandé de poulet d) vous avez choisi Monsieur? e) je ne vais pas accepter vos excuses f) il a parlé au chef tout de suite
g) elle n'est pas sortie du restaurant h) je suis navré Monsieur i) il va servir l'entrée dans dix minutes

Unit 11

SITUATION A

un peu dans chaque salle pendant les différents siècles de l'époque la vie quotidienne il faut prévoir combien de temps? environ une heure si longtemps des jeux ils ne parlent que le français

M. MERCEAU: Excusez-moi Mademoiselle. Vous pouvez expliquer un peu sur le centre?

EMPLOYÉE: Bien sûr Monsieur. Dans chaque salle il y a une exposition de la vie en Grande-Bretagne pendant les différents siècles, du seizième au vingtième siècle. Il y a des vêtements de l'époque et des explications sur la vie quotidienne de chaque siècle.

M. MERCEAU: Très intéressant. Et il faut prévoir combien de temps?

EMPLOYÉE: Environ une demi-heure par salle, mais vous n'êtes pas obligés de rester si longtemps bien sûr.

M. MERCEAU: Et c'est intéressant pour les enfants?

EMPLOYÉE: Oui. Nous avons préparé des jeux et un questionnaire sur chaque salle pour les jeunes visiteurs.

M. MERCEAU: Mais les enfants ne vont pas comprendre. Ils ne parlent que le français.

EMPLOYÉE: Toutes les brochures sont en français aussi Monsieur. Vous pouvez acheter les guides et les questionnaires à l'entrée.

Exercices

1 – Excusez-moi. Vous pouvez expliquer un peu sur le centre.
 – Bien sûr. Il y a une série de quatre salles.
 – Qu'est-ce qu'il y a dans chaque salle?
 – Dans chaque salle, il y a une exposition de voitures du vingtième siècle.
 – Très bien. Et il faut prévoir combien de temps?
 – Environ vingt minutes par salle.
 – Et c'est très intéressant pour les enfants?
 – Oui. Nous avons préparé un questionnaire pour les jeunes visiteurs.
 – Et c'est en français?
 – Oui, vous pouvez acheter les questionnaires à l'entrée

2 a) je n'ai pas d'argent b) il n'a que deux enfants c) nous ne sommes pas au centre culturel d) vous n'écoutez que la radio
e) elle ne mange que du poisson

SITUATION B

des visites guidées durer faire le tour de les salles d'exposition les salles privées louer un balladeur des écouteurs un commentaire en français souvent

EMPLOYÉE: Alors, nous avons des visites guidées du musée.

M. TALBOT: Et ça dure combien de temps?

EMPLOYÉE: Il y a deux visites guidées. La

première dure une heure et la deuxième dure deux heures.

MME TALBOT: Et la différence entre les deux?

EMPLOYÉE: Pendant la première visite vous faites le tour de toutes les salles d'exposition du musée. Pendant la deuxième, vous pouvez voir les jardins et les salles privées aussi.

M. TALBOT: Et les guides parlent français?

EMPLOYÉE: Non, mais vous pouvez louer des balladeurs et des écouteurs. Vous avez un commentaire en français. Les visiteurs utilisent souvent les balladeurs.

M. TALBOT: Et nous pouvons louer les balladeurs où?

EMPLOYÉE: Là-bas, près de l'entrée. Ça coûte une livre par personne.

MME TALBOT: Merci Mademoiselle.

Exercices

1 Pendant mon temps libre, je visite souvent les musées parce que l'histoire et les antiquités m'intéressent beaucoup. Quand je visite les musées en Angleterre, je loue quelquefois un casque pour écouter le commentaire en français. En France, je vais au cinéma de temps en temps. Les parcs d'attractions? Ça alors, jamais! Je déteste les parcs d'attractions.

2 – Il faut réserver une place pour les visites guidées?
  – Si vous êtes un groupe, il faut réserver. Sinon, vous pouvez venir sans réservation.
  – Et ça dure combien de temps?
  – Environ une heure et demie.
  – Il y a des visites guidées combien de fois par jour?
  – Deux fois par jour.
  – Combien coûte la visite guidée pour un groupe?
  – Ça coûte quinze livres sterling pour un groupe.
  – Combien de personnes font un groupe?
  – Trente personnes.
  – Vous avez des guides?
  – Oui, ça coûte une livre cinquante.

SITUATION C

Mme Duras a perdu   le bureau de renseignements   j'ai besoin de votre aide   il est comment, votre sac?   en cuir noir   mon portefeuille   une voiture de location   vous avez

cherché?   il n'y a rien   si quelqu'un a trouvé

MME DURAS: Excusez-moi Monsieur. J'ai besoin de votre aide. J'ai perdu mon sac.

EMPLOYÉ: Oui Madame. Vous avez perdu votre sac où exactement?

MME DURAS: Je ne suis pas sûre. Je suis allée aux toilettes à midi, et puis au restaurant pour le déjeuner. A la caisse je n'ai pas pu payer!

EMPLOYÉ: Il est comment, votre sac?

MME DURAS: Il est en cuir noir.

EMPLOYÉ: Il y a beaucoup de choses dans le sac?

MME DURAS: Ah oui. Il y a mon portefeuille, les clés de la voiture de location, des cartes de crédit et, bien sûr, mon passeport!

EMPLOYÉ: Et vous avez cherché aux toilettes?

MME DURAS: Bien sûr, mais il n'y a rien!

EMPLOYÉ: Veuillez attendre un instant. Je vais faire une annonce au haut-parleur. Si quelqu'un a trouvé votre sac, il va venir ici.

MME DURAS: Merci beaucoup Monsieur.

Exercices

1 JEAN: J'ai trouvé un portefeuille en cuir.
  MARIE: Je n'ai rien perdu.
  PIERRE: J'ai perdu un briquet en or.
  CLAIRE: J'ai trouvé un foulard en soie.

2 – Excusez-moi, j'ai besoin de votre aide. J'ai perdu mon portefeuille.
  – Vous avez perdu le portefeuille où exactement?
  – Je ne suis pas sûr. Je suis allé au magasin de souvenirs après la visite guidée. A la caisse je n'ai pas pu payer.
  – Il est comment votre portefeuille?
  – Il est en crocodile noir.
  – Il y a beaucoup de choses dans le portefeuille?
  – Oui. Il y a de l'argent, des cartes de crédit et mon permis de conduire.
  – Vous avez cherché dans les salles d'exposition?
  – Bien sûr, mais je n'ai rien trouvé.
  – Je vais faire une annonce publique. Si quelqu'un a trouvé le portefeuille, il va venir au bureau de renseignements.

3 a) J'ai trouvé un foulard en soie jaune.
b) Nous avons perdu un portefeuille en plastique bleu. c) Elle a trouvé un briquet au restaurant. d) Vous devez chercher dans la salle d'exposition.

Unit 12

SITUATION A

ne quittez pas   le service des ventes   un
changement de programme   annuler   la foire
commerciale annuelle   la semaine suivante/
précédente   toujours   par écrit   je vous envoie
une télécopie

RÉCEPTION: Royal Arcade Hotel . . .

MME PLANCHE: Je voudrais changer une
   réservation pour une conférence s'il vous
   plaît.

RÉCEPTION: Un instant, ne quittez pas, je vous
   passe le service des ventes.

EMPLOYÉ: Service des ventes, je peux vous aider?

MME PLANCHE: Ici France-Bas, je suis désolé, j'ai
   un changement de programme.

EMPLOYÉ: Vous voulez annuler votre réservation?

MME PLANCHE: Non, nous devons changer les
   dates.

EMPLOYÉ: Oui, vous voulez quelles dates
   maintenant?

MME PLANCHE: C'est possible la semaine d'avant,
   du neuf au onze juin?

EMPLOYÉ: Euh, attendez un instant s'il vous
   plaît. . . . C'est très difficile: c'est la foire
   commerciale annuelle, l'hôtel est complet
   cette semaine-là.

MME PLANCHE: Et la semaine suivante alors, à
   partir du vingt-trois?

EMPLOYÉ: Oui, c'est plus facile. C'est toujours
   pour cinquante personnes?

MME PLANCHE: Non, nous avons sept personnes
   de plus maintenant.

EMPLOYÉ: Bon, c'est noté. Cela ne change rien,
   la salle mesure neuf mètres sur dix et peut
   recevoir soixante-dix personnes. Vous pouvez
   confirmer dates et nombres de participants
   par écrit s'il vous plaît?

MME PLANCHE: Oui, je vous envoie une télécopie
   immédiatement.

Exercices

1 déjeuner pour trente personnes   un écran et
un projecteur   bonbons et crayons sur la table
de conférence   petit déjeuner à l'anglaise   bar
et corbeille de fruits dans toutes les chambres
une salle de 10 mètres sur 10   café pour trente
cinq personnes   accès au parcours de golf
télécopie de neuf heures à dix-sept heures
accès libre au gymnase

2 – L'hôtel est calme?

– Il y a une belle vue des chambres?
– Et pour les loisirs?
– Quelles sont les dimensions de la salle
   Charlotte?
– Quelle est la capacité de la Thurham Suite
   comme salle de classe?
– Et pour le déjeuner?
– On peut faire une soirée pour cent
   personnes?
– Quelle est la longueur d'une salle de
   séminaire?
– Il y a combien de salles de séminaires?
– La Thurham Suite est au rez-de-chaussée?

SITUATION B

une salle de classe/de réunion   un tableau
mobile   un rétroprojecteur   un écran   louer
en supplément   avoir besoin

(Au téléphone, au service des réservations
d'affaires)

EMPLOYÉ: . . . et c'est pour combien de
   personnes?

MME LEBRUN: Cinquante personnes.

EMPLOYÉ: Vous voulez une salle de conférence,
   de classe ou de réunion?

MME LEBRUN: Quelles sont les dimensions de la
   salle de conférence?

EMPLOYÉ: Dix mètres quatre-vingt-dix sur huit
   mètres cinquante. La capacité de la salle est
   de soixante-dix personnes.

MME LEBRUN: D'accord, réservez la. Et comme
   équipement?

EMPLOYÉ: Nos salles sont équipées de tableaux
   mobiles ou de rétroprojecteurs.

MME LEBRUN: Il est possible d'avoir un écran et
   projecteur vidéo?

EMPLOYÉ: Oui, il faut les louer en supplément.

MME LEBRUN: Quel est le tarif?

EMPLOYÉ: Un instant, je vais le chercher . . .
   voilà, ça fait trente-cinq livres par jour.

MME LEBRUN: Oui, ça va, alors réservez les pour
   nous.

EMPLOYÉ: Nous avons aussi un service de
   photocopie si vous en avez besoin.

MME LEBRUN: Oui, nous allons peut-être
   l'utiliser.

EMPLOYÉ: N'hésitez pas à faire appel à nos
   services, demandez Andrew Craven . . .

MME LEBRUN: Bien, je vous remercie, à lundi
   prochain.

Exercices

1 a) Vous avez la clé? Vous l'avez?
b) Il apporte le dessert. Il l'apporte.
c) Je reçois la télécopie. Je la reçois.
d) Nous payons l'addition. Nous la payons.
e) Ils attendent les participants. Ils les attendent.
f) Vous confirmez la réservation. Vous la confirmez.

SITUATION C

j'espère que ma note est prête   nous allons vérifier   des consommations/des digestifs   vous avez raison   c'est vrai   j'ai oublié   mon mari   ça ne fait rien   un séjour

RÉCEPTIONNISTE: Bonjour Madame, je peux vous aider?

MME AUBERT: Chambre 327, Madame Aubert, j'espère que ma note est prête.

RÉCEPTIONNISTE: Oui, elle est prête, voilà Madame. . . .

MME AUBERT: Je pense qu'il y a une erreur, vous êtes sûr que c'est bien ma note?

RÉCEPTIONNISTE: Chambre 327, oui c'est cela. Où est l'erreur? Nous allons vérifier.

MME AUBERT: Il y a trente-cinq livres en plus du repas de lundi soir, et dix-huit livres de téléphone. . . .

RÉCEPTIONNISTE: Alors, les trente-cinq livres sont pour des consommations, vous avez certainement commandé du vin et des digestifs?

MME AUBERT: Ah, oui, vous avez raison.

RÉCEPTIONNISTE: Et pour le téléphone, nous avons enregistré un appel pour la France dimanche soir, d'une durée de 12 minutes.

MME AUBERT: Mais oui, c'est vrai, j'ai oublié, j'ai appelé mon mari. Je suis tout à fait désolée . . .

RÉCEPTIONNISTE: Ça ne fait rien Madame. Des erreurs, ça arrive! Alors bon voyage et merci de votre séjour!

Exercices

1 Client 1: J'ai passé une nuit excellente dans cet hôtel très calme. Le service est rapide et très bon, on a une vue splendide sur le parcours de golf et le château, je suis enchanté et je vais le recommander à mes collègues.

Client 2: Moi, je ne suis pas très content: les chambres ne sont pas très confortables ici, et il n'y a pas la télévision dans les chambres. De plus, les repas sont chers et sans intérêt, je vais demander une réduction de prix!

2 a) Bonjour, Messieurs-dames
b) Je suis désolé
c) Je vais vérifier
d) Je vous remercie
e) Au revoir, Monsieur/Madame, et bonne route!
f) Bonne nuit, Madame/Monsieur.

3 – Voilà, votre note est prête.
– Merci, voilà ma carte American Express.
– Merci bien, c'était intéressant, la conférence?
– Oui, très intéressant, merci. Et l'hôtel est très confortable, je vous remercie.
– J'espère que la conférence est encore à l'hôtel l'année prochaine
– J'espère que oui, le cadre est parfait, et votre service excellent.
– Merci encore, et bon voyage!
– Merci bien, au revoir Mademoiselle.

A s s i g n m e n t   1

Task One

Bonjour. Je voudrais deux chambres pour deux personnes, s'il vous plaît. Je voudrais une chambre avec salle de bains et une chambre avec douche. C'est au nom de Madame Chatelet . . . C H A T E L E T. Mon numéro de téléphone est le 20 16 15 11.